Todo **Niño** necesita una **Mamá** que **Ora**

Fern Nichols

EDITORIAL
UNILIT

Sepa

Publicado por
Editorial Unilit
Miami, Fl. 33172
Derechos reservados

© 2005 Editorial Unilit (Spanish translation)
Primera edición 2005

© 2003 por Fern Nichols
Originalmente publicado en inglés con el título:
Every Child Needs a Praying Mom
por Zondervan, Grand Rapids, Michigan 49530, U.S.A.
Todos los derechos reservados.

Originally published in the U.S.A. under the title: *Every Child Needs a Praying Mom*
Copyright © 2003 by Fern Nichols
Grand Rapids, Michigan.

Traducción: Adriana E. Tessore de Firpi
Fotografía: Digitalvision

Las citas bíblicas se tomaron de la Santa Biblia, Versión Reina Valera 1960
© Sociedades Bíblicas Unidas; *La Santa Biblia, Nueva Ver*sión Internacional © 1999 por
la Sociedad Bíblica Internacional; La Biblia de las Américas © 1986 por The Lockman
Foundation; *a* © 1979 International Bible Society; Reina-Valera 1995 © 1995 Sociedades
Bíblicas Unidas; y la *Biblia para todos*, © 2003 Traducción en lenguaje actual, © 2002
por las Sociedades Bíblicas Unidas.
Usadas con permiso.

Producto 495388
ISBN 0-7899-1300-3
Impreso en Colombia
Printed in Colombia

A mi amado esposo: Rle, compañero y amigo de toda la vida. Tus oraciones y apoyo amoroso los guardo como un tesoro en mi corazón.

A mis hijos: Ty, Troy, Travis y Trisha. Cada uno ha impreso en mi corazón la fidelidad y la bondad de Dios. No sabría cómo expresar el orgullo que siento de ser su madre.

Y cuento con la maravillosa bendición de que Dios me haya dado tres hermosas y piadosas nueras, mis «hijas del corazón»: Patti, Bonnie y Tara.

Y a mi mamá, por haberme enseñado a orar. Es mi oración que este libro sea un legado del poder de Dios a través de la oración para cada generación futura de nuestra familia y de la familia de Dios.

«Que se escriba esto para las generaciones futuras, y que el pueblo que será creado alabe al SEÑOR» (Salmo 102:18).

Contenido

Prólogo de Evelyn Christenson. 7

Introducción: El nacimiento de un movimiento
de oración 10

Primera parte
Respuesta al llamado a orar

1 Una melodía de oración 19

2 Cómo orar con confianza 27

3 La oración que cambia vidas 39

Segunda parte
La oración con los cuatro pasos

4 Alabanza: La oración de acuerdo
a los atributos de Dios 55

5 Confesión: Quita los escombros 69

6 Acción de gracias: La expresión
de un corazón agradecido 91

7 Intercesión: Ponte en la brecha 105

Tercera parte
*La oración tan profunda como tu corazón
y tan vasta como tu mundo*

8 *La oración de acuerdo a las promesas de Dios* *123*

9 *La oración de común acuerdo.* *141*

10 *Prepárate para la lucha: Oraciones de guerra* *157*

11 *Oración por nuestras escuelas* *175*

12 *¡Sigue en oración a cualquier precio!* *199*

Reconocimientos. *215*

Apéndice: Listas y hojas de oración *217*

Notas *232*

Prólogo de Evelyn Christenson

Uno de los mayores milagros de Dios es que levanta a determinados individuos para llevar a cabo tareas titánicas para Él. Dios ve en esas personas lo que el mundo cristiano quizá no reconozca aún: el potencial de liderazgo, la perseverancia, el sacrificio y el poder espiritual de la persona. Los Billy Graham y las madre Teresa del mundo son esa clase de personas... y también Fern Nichols.

Dios vio que había multitudes de niños con una necesidad imperiosa de oración y también observó en Fern un deseo ferviente de orar por sus propios hijos que enfrentaban presiones de los pares, enseñanzas en el aula contrarias a sus creencias y modelos sociales que desafían su estilo de vida y su confianza en Jesucristo. Luego de conseguir a un puñado de mamás que oraran con ella, el deseo ferviente de Fern se convirtió en un llamado, de parte de Dios, de que *todo niño necesita una mamá que ora*. Dios escogió a Fern para que inspire y organice a otras mamás a fin de que oren por sus hijos. Y Él convirtió este llamado en un ministerio que ha estallado para pasar de un grupito inicial al increíble número de ciento cincuenta mil mamás que oran en grupos cada semana.

La primera impresión que tuve de Fern fue la de una vivaz y joven mamá con infatigable pasión por su organización en ciernes y en busca de consejo en cuanto a la oración colectiva. Como llegamos a ser amigas íntimas en lo personal y en lo espiritual, pude observar que su insaciable pasión se convirtió en un estilo de vida inquebrantable con el objetivo de que cada niño tenga la madre de oración que necesita y que merece.

¿Estás leyendo este libro porque tú también tienes el ferviente anhelo de que Dios proteja a tus hijos del mal que se disputa sus mentes y cuerpos a través de las drogas, la violencia y las falsas enseñanzas? ¿Acaso piensas: «Soy muy poca cosa como para que Dios use mi oración»? *Jamás tengas en poco el poder de las oraciones de una persona, ¡incluyendo las tuyas!*

En este libro la misma Fern te llevará en el viaje que realizó para convertirse en una persona de oración con poder. Sus prácticos recursos que se entretejen a lo largo del libro te mostrarán cómo tú también puedes convertirte en una intercesora fiel a la Biblia. Rebosante de asombrosos ejemplos verídicos, este libro te impulsará en todo momento a confiar en lo que Dios hace cuando uno tiene el valor de orar.

Fern te ayudará con las respuestas a preguntas desconcertantes tales como: ¿De qué manera sigo orando con fidelidad aun cuando al parecer Dios no responde? ¿Cuáles son las tácticas del enemigo para evitar que ore? ¿Cómo me libero de esas cosas que me apartan de la oración? ¿Qué pasajes son, o no son, para que todos oren? ¿Envía Dios a sus ángeles a responder mis oraciones? ¿Es necesario orar en las escuelas cristianas? ¿Cómo puedo convocar a los maestros para que sean personas de oración? ¿Y cómo puedo cubrir en oración a los niños de la escuela de mis hijos que no tienen una madre que ore por ellos?

Los cuatro pasos de Fern explican en detalles lo que puedes hacer en tu tiempo de oración e incluso por qué la oración más importante que puedes hacer es por la salvación de los demás: *alabanza* por los atributos de Dios, *confesión* para obtener el poder de la oración, *acción de gracias* «en» todas las cosas y no «por» todas las cosas, e *intercesión*.

Este es uno de los libros más inspiradores que he leído jamás. Al avanzar por sus páginas, me sentí impulsada a acercarme aun más a Jesús, quien amó a todos los niños, y que amonestó a sus discípulos a fin de que permitieran que los pequeños acudieran a Él.

Al leer este manuscrito con suma atención, todo mi ser se envolvió en la poco común emoción y esperanza de la garantía bíblica de que Dios sigue en su trono y que *rescatará* a nuestros hijos, si oramos.

Este libro no se debe leer a la ligera, sino que se debe estudiar en oración con la misma intensa pasión que Dios le dio a Fern: *Luchando, llorando, perseverando, creyendo.* Estudia este libro hasta que hayas aplicado sus enseñanzas, hasta que te transformes en una persona de oración, hasta que Dios produzca milagros cuando ores, hasta que Dios responda cada una de tus oraciones a su manera, en su tiempo y por sus razones, pero siempre por el bien de tu hijo. *Así es una mamá que ora.*

Introducción:

El nacimiento de un movimiento de oración

En mi niñez, todo lo que quería era ser mamá. Recuerdo que cuando era una jovencita oraba pidiéndole a Dios de que el matrimonio y la maternidad fueran parte de su plan divino para mi vida. Y me gocé cuando Él respondió a mi oración. Sin embargo, imagina mi asombro cuando Dios me pidió que «diera a luz» un ministerio mundial de veinte mil grupos que se reúnen cada semana, en el que participan unas ciento cincuenta mil mujeres y con presencia en noventa y un países. Un ministerio que ora por los niños y sus escuelas.

La organización Madres Unidas para Orar Internacional (MITI, por sus siglas en inglés) comenzó con una sencilla oración hecha en la cocina de mi casa cuando tuve que enfrentar una crisis. Eso fue allá por 1984, en Columbia Británica, Canadá. Mi esposo, Rle (se pronuncia Ar-li), y yo tuvimos cuatro hijos. Los tres primeros fueron varones y, como Rle es el entrenador del equipo de baloncesto «Atletas en acción» de Cruzada Estudiantil y Profesional para Cristo, bromeábamos con que terminaríamos creando nuestro propio equipo. Sin embargo, Dios en su perfecto plan nos dio un hijo más, y esta vez fue una niña.

¡¿Qué puedo hacer?!

Mi día crítico fue en septiembre, al principio del año escolar. Acababa de despedir con un abrazo y un beso a mis dos hijos mayores que partían a la escuela secundaria pública que estaba cerca de casa. Al regresar a la cocina, comencé a llenarme de temor al pensar en lo que enfrentarían. Sabía que la escuela era un campo de batalla para su mente y su corazón. Las tentaciones surgieron de forma amenazadora en mi imaginación: inmoralidad, drogas, alcohol, pornografía, lenguaje grosero y filosofías que socavarían su fe.

«Señor», oré en voz alta, «te ruego que los protejas, que los capacites para que vean con claridad la diferencia entre lo bueno y lo malo, y que los ayudes a tomar decisiones piadosas».

Sin embargo, aun después de orar al Señor, permaneció la carga por mis hijos. La urgente necesidad de protegerlos del mal fue intensa. Clamé y rogué al Señor de que ninguno de mis hijos viviera ni un segundo en el reino de Satanás, de que el enemigo no se regodeara en obtener ni una partícula de sus vidas, ni que se gozara en que alguno de ellos creyera en sus mentiras. Junto con la pasión llegó un sueño, una idea. Me di cuenta de que la respuesta era la oración conjunta.

«Querido Padre», oré, «debe haber alguna otra mamá que pueda apartar un tiempo dentro de su cargada agenda para orar conmigo».

Una oración sencilla y un corazón desesperado trajo como resultado una respuesta de Dios. Él puso en mi corazón el nombre de una madre: Linda. La llamé enseguida y le conté mis temores y preocupaciones en cuanto a nuestros hijos y la escuela. «Linda», le dije, «siento como si cada día los estuviera enviando al centro mismo de las tinieblas. Necesitamos proteger el corazón de nuestros hijos mediante la oración. ¿Podríamos orar juntas una hora a partir de la semana que viene?»

Respondió que sí de inmediato. Luego pensamos en otras mamás que quizá desearían orar también. Así fue que a la semana siguiente nos reunimos cinco mujeres en mi casa.

Establecí un formato para nuestro tiempo llamado «Los cuatro pasos de la oración»: alabanza, confesión, acción de gracias e intercesión. Comenzamos y finalizamos a tiempo. Oramos en vez de hablar sobre la oración. Y todo se mantuvo en forma confidencial. Ese tiempo pasó a ser nuestra hora de esperanza al elevar nuestras preocupaciones y las necesidades de nuestros hijos ante el Señor a través de la oración unida. Cuando comenzaron a llegar las respuestas, experimentamos el gozo de regocijarnos las unas por las otras.

El proceso de nacimiento

Ni siquiera nos dimos cuenta de que unas cuantas mamás comunes y corrientes que liberaban el poder de Dios mediante la oración estaban a punto de dar a luz un movimiento de oración mundial. Como dice el escritor Wesley L. Duewel: «Dios tiene un plan maravilloso por el cual puedes influir en el mundo [a través de la oración]. Este plan no es solo para unos escogidos. Es para ti».

No tenía idea de que Dios me estuviera llamando a crear alguna cosa; pero a veces las grandes cosas crecen a partir de la obediencia en las pequeñas cosas.

Ni siquiera nos dimos cuenta de que unas cuantas mamás comunes y corrientes que liberaban el poder de Dios mediante la oración estaban a punto de dar a luz un movimiento de oración mundial.

Crecíamos en nuestra fe, aprendíamos a orar y vivíamos el gozo de ver la respuesta de Dios a nuestras oraciones. No podíamos menos que informárselo a nuestras amigas. Y la voz se corrió a toda velocidad. Nos dimos cuenta de que necesitábamos ponerle un nombre a nuestro grupo, así que le pedimos a Dios que nos ayudara a elegirlo. Por unanimidad decidimos que fuera Moms In Touch [que en el ministerio hispano es Madres Unidas para Orar]: mamás que están unidas a Dios, a sus hijos, a sus escuelas y entre sí a través de la oración.

Apenas había comenzado a desarrollarse el ministerio cuando al equipo de «Atletas en acción» lo trasladaron a Poway, al sur de California. «¡California!», gemí. «¿Vivirán cristianos en California?»

Comencé a extrañar a Madres Unidas para Orar y ni siquiera nos habíamos mudado todavía.

En cuanto nos instalamos en nuestro nuevo hogar, oré: «Señor, por favor, envíame otra mamá que ore conmigo por la escuela secundaria de Poway».

A las pocas semanas, se iniciaron las clases y el Espíritu Santo me impulsó a darle gracias a Dios por la mamá, como si ya la hubiera hallado. Entonces oré: «Padre, te doy gracias porque hoy me darás una mamá con quien orar».

Esa tarde, una madre de la misma cuadra llegó a buscar a su hijo a la escuela. Mientras esperábamos en la acera, la conversación giró hacia temas espirituales y le comenté a Suzie acerca de Madres Unidas para Orar. Me estrechó la mano y me dijo: «Fern, aunque solo seamos tú y yo, vamos a orar».

A finales de aquel año lectivo ya éramos diez mujeres las que orábamos por la escuela secundaria Poway y se habían formado otros grupos.

Cada tanto recibíamos una carta de mamás que se habían enterado de nuestro grupo y deseaban que les enviara mis hojas mecanografiadas sobre cómo comenzar a reunirse por su cuenta. Enseguida empezaron a crearse grupos en otros estados. Las solicitudes aumentaban cada vez más.

¿Cómo íbamos a dar respuesta a la demanda y a costear los materiales y el franqueo? Luego de orar, comenzamos a «pasar la gorra» en mi grupo de Madres Unidas para Orar. Cuando estas mujeres ofrendaron de buen grado, se cubrían siempre los costos.

Gracias a la ayuda y al impulso de alguien del grupo, Sondra Ball, recopilé mis notas y las organicé en un folleto. Tenía un negocio floral casero y aportó los fondos para la primera tirada de quinientos folletos. Hoy son más de cuatrocientos mil los folletos impresos en inglés, así como veintitrés traducciones, incluyendo una versión en Braille. ¡Qué distinción puede hacer una vida! El libro salió a la luz y llevó nuestro mensaje por todo el mundo gracias a la visión y el sacrificio de Sondra.

Muchas mujeres como Sondra fueron las que trajeron sus panes y sus peces durante esos primeros años. Y Jesús tomó lo que entregaron, lo bendijo y lo multiplicó. Cinco mamás que hacen galletas formaron la primera junta de MITI (por sus siglas en inglés de Madres Unidas para Orar), reunidas alrededor de mi mesa del comedor y dependiendo con desesperación del Señor en cuanto a la administración de este incipiente ministerio. Sondra Ball, Jackie Fitz, Carolyn Taylor y Charlotte Domville se entregaron de manera sacrificial para que las madres de todo el país aprendieran sobre esta forma de orar transformadora de vidas. Cuando recuerdo esos tiempos, no siempre teníamos en claro cuáles serían los pasos a seguir; pero sabíamos quién sí los tenía. En todo tiempo buscamos el rostro de Dios. Él nunca quedó mal con nosotras.

Ondas en el agua

El escritor Roy Lessin dice: «Cuando se arroja una piedra a un lago desaparece enseguida de la vista, pero el impacto que produce genera una serie de ondas que se amplían y cubren una superficie de agua cada vez mayor. Del mismo modo, el impacto de una vida que se vive para Cristo dejará tras sí una influencia positiva que alcanzará la vida de muchas otras personas».

Beatriz Grigoni, una mamá hispana de uno de nuestros grupos en San Diego, fue la que creó una de esas ondas. «Ah», dijo, «mi gente en México necesita saber cómo orar por sus hijos y sus escuelas». Así que el Señor la impulsó a traducir el folleto de MITI al español. Gracias a ella, no solo las mujeres de México, sino también las de España, los Estados Unidos, América Central y América del Sur se reúnen para orar por sus hijos en español.

Otra onda en el agua la produjo Connie Kennemer. En enero de 1988, Connie presidió nuestro primer retiro de MITI. Treinta y cinco mamás se reunieron en el centro de conferencias de Pine Valley para crecer en su fe, recibir capacitación y esperar un avivamiento. Nos reunimos en un cuarto acogedor con un crepitante fuego en la chimenea. Comenzamos a pedirle a Dios que cada escuela del condado de San Diego tuviera un grupo de MITI. Las oraciones comenzaron a ser más audaces y pedimos por todo el estado de California. El Espíritu Santo nos impulsó a soñar en grande, así que comenzamos a orar por cada estado de la costa oeste de los Estados Unidos. No obstante, nuestra fe se amplió aun más y pedimos por un grupo de MITI para cada escuela del mundo.

Una de las mujeres oró: «Pero Señor... ¿quién puede hablarles a todas esas mamás?... El doctor Dobson... ¡Él es la persona indicada! Señor, te rogamos que podamos estar en su programa de radio». Creo que algunas mujeres rieron por lo bajo.

Sin embargo, un par de meses más tarde, LuAnne Crane, la asistente de producción de la radioemisora *Enfoque a la familia*, llamó para decirnos que había tenido buenas referencias sobre nuestra organización y quería saber más. Cuando se lo dijimos, captó la visión del ministerio y prometió ponerlo por escrito de la mejor manera posible y entregárselo al doctor Dobson. Aun así, nos advirtió: «cientos de cosas pasan por su escritorio y él es quien tiene la última palabra en cuanto a su participación en el programa». ¡Vaya si oramos al respecto!

En el mes de abril, doce mamás viajaron conmigo a las oficinas centrales de Enfoque a la Familia en Pomona, California, así podían orar mientras me entrevistaban. El doctor Dobson nos recibió a todas en su oficina para informarse antes de comenzar el programa. Nos preguntó una por una: «¿Qué significa para ti Madres Unidas para Orar?». Algunas de las mujeres, presas de la emoción, gimoteaban al hablar, mientras a otras las lágrimas les corrían por las mejillas. ¡Usamos un montón de pañuelos de papel!

Sin embargo, varios ojos se abrieron con asombro y varias bocas contuvieron un grito cuando el doctor Dobson anunció: «Agreguen doce sillas más; todas saldrán al aire».

Le habíamos pedido dos días de programa para el caso de que alguna mamá se perdiera el primer día. Pues bien, Dios nos dio tres días. Las mujeres estaban sedientas de saber cómo podían unirse para proteger el corazón de sus hijos mediante la oración. Como resultado de la emisión surgieron más de veinte mil respuestas. No hace falta decir que el ministerio ya no fue el mismo desde entonces. Dios respondió a las oraciones de unas mamás que se animaron a pedir en grande.

Gracias al sacrificio y la confianza de tantas mujeres, Madres Unidas para Orar se convirtió en el movimiento internacional que es hoy en día. Aquella sencilla oración que hice en mi cocina cuando estaba desesperada por mis hijos fue el inicio para que muchas mujeres comenzaran a reunirse en todo el mundo. Esto se debe a que el corazón de una madre es el mismo en todas partes, independientemente de la cultura, el clima político o las circunstancias económicas. Toda madre siente la necesidad de orar por sus hijos. Y todo niño necesita una mamá que ora.

Primera parte

*Respuesta al llamado
a orar*

1

Una melodía de oración

Dios nos ha dado a cada uno una canción que solo nosotros podemos entonar. Esa canción es su llamado y propósito especial para nosotros, la ofrenda que solo puede hacerle una persona. Nadie más puede tararear tu melodía. Y si no se entonara, es lamentable, pero se perderá.

Parte de la canción que cada uno debe entonar se expresa mediante la oración. Dios desea escucharnos a cada uno en particular. Y nuestra canción-oración, aunque pensemos que es una melodía sencilla, puede tener un enorme poder.

¿Sientes que tu oración tiene poder? ¿Que influye en el desenlace de las situaciones? ¿Que hace que Dios incline su oído para escucharte? ¿O piensas que solo emites un conjunto de notas desafinadas en vez de una dulce melodía? Tal vez guardas silencio porque temes no saber cómo orar bien. O quizá te has desanimado porque intentaste orar, pero la experiencia no fue lo que esperabas.

Mientras comenzamos nuestra exploración sobre la oración, te aseguro que, independientemente de cuán vacilantes sean las notas de tu canción-oración, Dios anhela escucharte. Y ya sea que cantes un solo, en un dúo o en un grupo, Él te escuchará igual. Tu melodía le agrada aunque pienses que tu canción es demasiado sencilla, demasiado insignificante o muy banal (como esas oraciones de «ayúdame a encontrar un estacionamiento»).

Los cambios de la oración

Escribí este libro para incrementar tu confianza en la oración y en tu capacidad para orar. Deseo que creas de manera profunda y ferviente que la oración es una de las mayores contribuciones que puedes hacer a la vida de tu hijo; y que esa contribución tendrá resultados a largo plazo, resultados que se revelarán incluso cuando tú ya no estés en este mundo. Con esa finalidad, juntas vamos a probar algunas nuevas canciones-oraciones, a considerar de las Escrituras lo que Dios piensa sobre nuestras oraciones, a estimular para seguir orando aun cuando tengamos que sostener la nota por más tiempo del que creíamos posible, y nos enterare- mos de otras mamás que han orado mucho y por mucho tiempo. Mi oración es que cuando finalices este libro te sientas animada, llena de energía e iluminada en cuanto a tu vida de oración. Lo que es más importante, cambiarás. Pues aunque la oración a veces cambia las circunstancias e incluso puede cambiar la manera de pensar de los demás, casi siempre cambia el corazón del que ora.

Recuerdo un grupo de oración del que participé, en el que orábamos por una mamá que estaba deshecha por la relación que tenía con su hijo. La odiaba tanto que se estremecía si lo tocaba. La muralla que los separaba era alta y gruesa. Oramos durante semanas por la sanidad de esa relación. Oramos a fin de que Dios derribara ese muro de amargura, resentimiento y odio. Oramos para que la madre viera qué cosas de las que hacía man- tenían al hijo del otro lado de esa muralla.

Para finales del curso escolar, el hijo abrazaba a su madre antes de salir para la escuela. ¿Quién cambió? Estoy segura de que la madre respondería que Dios la transformó a ella y que eso hizo cambiar a su hijo; pero a decir verdad, Dios los transformó a los dos.

No creas que orar es una tarea sencilla. Es un gran trabajo. Sin embargo, las respuestas de Dios nos asombran a menudo. Eso es parte de lo que hace tan emocionante a la oración. En nuestro grupo de oración muchas veces experimentamos respuestas inmediatas a la oración, pero con algunas peticiones no hemos visto que suceda algo. Un hijo adoptivo estaba en las drogas y el alcohol. Oramos con fervor por este apuesto joven, pero no vimos cambios. En realidad, las cosas empeoraron. Perseveramos en la oración de que él amara a Dios y le sirviera con un corazón consagrado. A lo largo de la escuela secundaria, del instituto y de la vida adulta siguió en el camino de la autodestrucción. Aun así, Dios oyó nuestras oraciones de madre, en las que clamábamos por su vida y Él nos respondió... veinte años más tarde. Acabo de recibir una carta de esta mamá adoptiva que me cuenta con gozo cómo este hijo entregó su vida a Cristo, se casó con una muchacha cristiana y es miembro activo de una iglesia local. Cuando sus compañeros notaron la transformación en su vida, le hicieron muchísimas preguntas sobre el cambio producido. No obstante, lo que escapa a todo lo que podríamos haber imaginado mientras orábamos por él en nuestro pequeño grupo fue que iría a llevar a los pies de Cristo a su madre, la que lo dio a luz, antes de que muriera.

La canción entonada por mí

Ahora bien, no quiero que pienses que la canción-oración surgió en mí de manera sorpresiva y a partir de ese momento oré como es debido y con fervor. Todos los días aprendo sobre la oración, al igual que tú. A pesar de eso, he observado el poder de la oración en la vida de alguien muy cercano: mi mamá. Oraba en casa durante todo el día y siempre nos guiaba a orar antes de las comidas y al irnos a la cama. Muchas veces oraba en el automóvil cuando salíamos a la calle pidiendo la protección de Dios. Y los miércoles por la noche, mamá nos llevaba a la iglesia para la reunión de oración semanal. Recuerdo haber estado sentada en un banco de la iglesia cuando mis piernitas ni siquiera llegaban al suelo. Escuchaba las oraciones de los santos que llenaban el salón. Jamás me impacienté ni me aburrí. Al contrario, nunca me sentí más en casa que cuando estaba en la seguridad amorosa de esas oraciones. Ya sea en mi hogar, al ir y venir en el automóvil o en la iglesia, mi madre demostraba que un Dios que me amaba se ocupaba de mí y estaba atento a escuchar y responder mis oraciones. Como resultado, le pedí a Jesús que viniera a vivir a mi corazón siendo muy niña. No recuerdo algún momento en mi vida en el que no haya conversado con mi Padre celestial.

Lo determinante que puede ser una oración

Con el correr de los años he observado respuestas maravillosas a la oración, incluso en mi propia familia, que me han servido de impulso para continuar orando. Mientras vivíamos en la Columbia Británica, a mi esposo, Rle, y nuestro hijo de diez años, Troy, los invitaron a un paseo en canoa con un amigo y su hijo. Ese amigo había recorrido en canoa el río Fraser muchas veces y deseaba compartir la diversión con Rle. Además, sería una fantástica aventura para los dos muchachos.

A medida que se acercaba el día, aumentaba la emoción. Muchos preparativos y planificación precedieron al suceso.

Como era a principios de la primavera, la nieve se derretía en las montañas lo que causaba que el río estuviera crecido y con corriente. El día del paseo amaneció húmedo y lluvioso, pero eso no detuvo a los entusiastas aventureros.

Una vez que prepararon la canoa y los elementos necesarios, cuando estaban a punto de lanzar la canoa al agua escucharon unos gritos. Eran dos hombres que desembarcaban en ese momento.

«Ustedes no van a ir a navegar, ¿verdad?», gritó uno de los hombres.

Cuando el amigo de mi esposo dijo que sí, uno de los extraños respondió: «Yo no iría. El río está muy crecido y la corriente es demasiado rápida. Tendrán que sacarlos del fondo».

El amigo de Rle le aseguró a mi esposo que él había recorrido el río con distintas condiciones meteorológicas y que no habría problemas. Aun así, cuando se subieron a la canoa, Rle observó cómo los dos extraños movían la cabeza con incredulidad.

A media tarde, sentí un impulso de orar por Rle y Troy pidiendo protección. Tan fuerte fue esa sensación que abandoné lo que estaba haciendo y me senté en la cocina con mi Biblia y clamé para ellos las promesas divinas de protección. Oré: Te pido «que los protejas del maligno» (Juan 17:15). «Los que confían en el Señor son como el monte Sión, que jamás será conmovido, que permanecerá para siempre. Como rodean las colinas a Jerusalén, así rodea el Señor a su pueblo, desde ahora y para siempre» (Salmo 125:1-2). «Yo lo libraré, porque él se acoge a mí; lo protegeré, porque reconoce mi nombre» (Salmo 91:14).

Luego oré por el amigo de Rle y su hijo: «Señor, tú sabes lo que está sucediendo en este momento. Te pido que los protejas, mantenlos a salvo, pon tu mano a su alrededor y estréchalos entre tus brazos. Que lleguen sanos y salvos a casa. Confío en ti y no seré conmovida. Por favor, Señor, tráelos a casa». Debo de haber orado por casi una hora.

Dios responde

Ya era casi de noche cuando recibí una llamada de mi agotado pero agradecido esposo. Cuando me contó lo sucedido esa tarde, calculé la hora y me di cuenta de que la aterradora historia tuvo lugar justo cuando el Espíritu Santo me impulsó a orar.

La historia de Rle se desarrolló de esta manera: Mientras remaban por el río, fueron ganando velocidad hasta que cayeron por un desnivel, una pequeña cascada. La canoa se elevó por el aire y todos los ocupantes salieron despedidos a las aguas heladas. Cuando Rle pudo reaccionar, se dio cuenta de que estaba sumergido porque tenía un par de pies sobre los hombros. Sin saber de dónde provenía esa presión, quitó a Troy de encima de él y nadó con él hasta la canoa que estaba cerca y no se había hundido. Subió a Troy para mantener su pecho fuera del agua porque le preocupaba el riesgo de hipotermia.

Troy le preguntó a Rle: «Papi, ¿vamos a morir?».

Rle permaneció en silencio total.

Troy prosiguió: «No hay problema, papá. Iremos con Jesús».

El amigo y su hijo estaban un poco más lejos de la canoa. Rle comentó que jamás podrá olvidar los gritos desesperados de su amigo que llamaba a su hijo y el tremendo alivio cuando por fin se reunieron en las turbias aguas. Dios les dio las fuerzas necesarias para nadar hasta la canoa y sujetarse de ella.

Después de cuarenta y cinco minutos de luchar contra el frío y las agitadas aguas, se les acababan las fuerzas y estaban congelados hasta los huesos. Cuando Rle se dio cuenta de que estaban a punto de morir en realidad, ocurrió otro milagro.

Sintieron tierra firme bajo sus pies y descubrieron una pequeña isla sumergida en medio del río. Apenas si podían mantenerse debido a la fuerte corriente. Temblando de manera descontrolada, se unieron en oración dando gracias a Jesús por esa seguridad momentánea.

Luego, en cuestión de minutos, un helicóptero con el espacio justo para aterrizar los rescató para llevarlos hasta el hospital más cercano. ¿Cómo se enteraron los socorristas? Fue otro milagro. Una pareja vio el accidente y pidió ayuda de inmediato. Los paramédicos dijeron que si Troy hubiera permanecido diez minutos más en el agua, habría muerto por hipotermia.

¡Qué enorme privilegio el mío de haber podido luchar por la vida física de mis seres queridos y de sus amigos mediante la oración! ¿Fue determinante mi oración? ¿Envió Dios ángeles serviciales para ayudarlos porque había orado? Sí y sí. Dios promete que cuando clamo a Él, me escucha y hará cosas grandes y poderosas. La oración puede ser determinante entre la vida y la muerte.

Entona tu canción

¿Por qué orar? Porque el poder de una vida de oración es de gran valor. No te rindas. Solo tú puedes entonar tus oraciones.

«Las acciones en el cielo se inician cuando alguien ora en la tierra», afirma el pastor y escritor Max Lucado. «Puede que no comprendas el misterio de tu tarea; pero hay algo que es claro: Cuando hablas, Jesús escucha».

No puedo evitar pensar en el pasaje de Santiago: «La ferviente oración de un justo es poderosa y logra maravillas» (Santiago 5:16, LBD).

Se protegen a los miembros de las familias, se salvan a los esposos, se transforman las escuelas, se restauran las relaciones familiares y se crían a los niños en la fe... Estos son solo algunos ejemplos del enorme efecto que puede producir una vida de oración.

¿Fue determinante mi oración? ¿Envió Dios ángeles serviciales para ayudarlos porque había orado? Sí y sí.

En los capítulos siguientes, analizaremos cómo orar cuatro oraciones transformadoras de la vida; superaremos nuestras propias barreras que nos impiden orar con poder; oraremos por nuestros seres queridos usando las Escrituras; oraremos de acuerdo a la voluntad de Dios; reclamaremos las promesas divinas en oración; pelearemos batallas espirituales en oración a favor de nuestros hijos; y oraremos a cualquier precio.

En el siguiente capítulo, veremos una de las mayores barreras de la oración: la lucha por creer que Dios en verdad escucha y responde a nuestras oraciones. ¿Cómo puede uno convertirse en una persona confiada que ora, aun cuando Dios no responde?

Y ahora, me gustaría cerrar este capítulo con una oración junto a ti. Al final de cada capítulo inserté una oración para que la ofrezcas como una melodía al Señor. Aunque, por ahora, quisiera orar por ti:

Soberano Señor, te agradezco por cuánto amas y valoras a cada persona en particular. Cada vida tiene una melodía única para ti que solo ella puede entonar. Te ruego que ninguno de tus hijos dude del poder de su canción. Dale a mi hermana el valor para confiar en ti. Que tu amor eche fuera el temor para que pueda entonar la canción que le has dado. Padre amado, que te honre y te dé toda la gloria por tu fidelidad para ayudarla a entonar su melodía de oración. En el nombre de Jesús, amén.

2

Cómo orar con confianza

La historia de la hermana de William Carey me inspiró. William fue un misionero que trabajó cuarenta y dos años en la India desde mediados hasta finales de los años de 1800. Él y sus compañeros de ministerio tradujeron la Biblia a veinticinco lenguas indias. Muchos libros se escribieron sobre él y con toda razón.

Sin embargo, no se sabía nada de la hermana de William Carey hasta que Warren y Ruth Myers escribieron *Pray* donde relatan su asombrosa historia. Mary, la hermana menor de William a la que llamaba «Polly», estuvo confinada a la cama y casi paralítica durante cincuenta y dos años. Aun así, estaba muy apegada a Dios y a su hermano.

William le escribía contándole los detalles de sus problemas para crear los libros de gramática, los manuales y los diccionarios indios. Describía las dificultades de resolver la manera de conseguir la mecanografía de los libros y la impresión de las Biblias. Al comentarle estos detalles a ella que estaba en Londres, Polly los presentaba al Señor en oración. Oraba con fidelidad durante muchas horas en las que le pedía a Dios que cubriera las necesidades de su hermano, año tras año. Como dicen Warren y Ruth Myers en su libro: «¿A quién le acreditará Dios las victorias obtenidas por medio de este admirable hombre?»[1].

¡Qué mujer de fe fue Polly para no permitir jamás que su discapacidad física paralizara su vida de oración! ¿Cuál fue su secreto que le permitió orar con tanto fervor y constancia durante muchos años? ¿Dónde hallaba esa confianza?

Barreras de la oración

Al igual que Polly, todos tenemos barreras para orar, pero la mayor de todas quizá sea la falta de confianza. Uno puede no tener confianza de su capacidad para pronunciar las palabras adecuadas o tal vez dude que Dios escuche. Es posible que se imagine a Dios escuchando, pero sin humor para responder.

Kellie, por ejemplo, temía orar en grupo. «Me sentía incapaz de orar con el corazón porque crecí recitando oraciones memorizadas. "¿Quién soy yo para orar con tanto descaro?", me cuestionaba. "No estoy en ningún ministerio ni soy una laica preparada"».

Además, a Kellie le preocupaba que sus oraciones no fueran tan elocuentes como las de los otros. Y se avergonzaba de que su propio hijo, que en un determinado momento le entregó su vida a Dios, se deprimiera, bebiera demasiado y se rebelara contra el Señor. ¿Cómo podía alguien con un hijo así orar con otros cuyas vidas eran mucho más... espirituales?

Desesperada por su hijo que seguía hundiéndose cada vez más en la rebeldía y la depresión, decidió unirse a un grupo de oración de Madres Unidas para Orar. Es decir, si conseguía reunir el valor necesario para asistir a un grupo y orar...

Entonces cierto día, cuando Kelly respondió una llamada del centro de salud de Poway, California, donde trabajaba, del otro lado de la línea dijeron: «Te habla Fern Nichols».

«Mi corazón dio un vuelco cuando escuché ese nombre», recuerda Kellie. «Sabía que Dios me impulsaba y arrastraba a MITI». El temor la seguía aplastando. Tragó saliva y dijo: «Sé que eres la presidenta de Madres Unidas para Orar».

Dice que le respondí con: «Ah, sí... ¿Tienes hijos?».

Kellie me confesó más tarde que se sentía insegura de revelar que uno de sus hijos estaba en problemas, así que respondió: «Sí, nuestra hija de primer año es una fiel cristiana y nuestro hijo conflictivo no estudia». Pensó que al no estar en la escuela, esta respuesta la libraría y no tendría que participar de MITI.

«Tenemos un grupo universitario», le respondí. «¿Podríamos reunirnos el jueves?»

Kelly se imaginó que Dios la había acorralado. En realidad, ahora tenía que ir al grupo sí o sí. Así fue que nos conocimos, y cuando el grupo se dividió en parejas, quedamos juntas. Más adelante Kellie me confesó que se sintió incómoda al orar conmigo porque me veía como la fundadora de un ministerio de oración internacional.

Sin embargo, Kellie dijo que sentía paz y convicción de que estaba en el lugar apropiado y en el momento adecuado para hacer lo que debía: orar por su hijo con alguien que también tenía un corazón de madre como el suyo. Así fue como Kellie comenzó a ganar confianza en su capacidad de orar y en la disposición divina a escuchar. Por fin, luego de estar al borde de la muerte por un apéndice perforado, su hijo dio un giro espiritual y se dio cuenta de que la oración lo trajo de vuelta de una situación que amenazaba su vida.

La fuente de confianza

¿Qué hicieron Polly Carey y Kellie para hallar la confianza necesaria a fin de creer que Dios escucharía y respondería sus oraciones? Aunque parezca sencillo, estaban convencidas de que eran hijas de Dios. En cierto sentido, Dios es como una madre que reconoce la voz de sus hijos en medio de un grupo de niños, aunque todos estén gritando «mamá» al mismo tiempo. Una madre responde a su hijo porque conoce el sonido de su voz. De la misma manera, Dios responde nuestro llamado porque Él conoce el sonido de nuestra voz.

Veamos el caso de Bárbara Lea, que deseaba más que nada en el mundo sentirse una hija de Dios. Sin embargo, debido a su estilo de vida, dudaba que Él la amara o perdonara alguna vez; mucho menos que respondiera a sus oraciones.

Bárbara Lea comenzó a beber en el undécimo grado y le añadió la mariguana y las fiestas durante la universidad. Luego vino un aborto con una percha, dos fracasos matrimoniales (uno de sus esposos era abusador) y relaciones sexuales con muchos hombres. El uso de drogas aumentó al tomar anfetaminas durante el día a fin de llegar a trabajar y luego porros en la noche que le ayudaran a relajarse. También inhalaba cocaína con regularidad.

Con el correr del tiempo, Bárbara Lea y su jefe, un divorciado con el que compartía una pequeña oficina, comenzaron a salir juntos. De pronto, se dio cuenta de que se había enamorado de Howard.

«Luego me preguntó si me comprometería con él», dijo Bárbara Lea. «Era la primera vez en mi vida que un hombre me amaba y lo único que me pedía era un compromiso. ¿Un compromiso? ¿Qué era eso? Lo único con lo que me había comprometido en mis treinta y cuatro años podría haber sido... mi trabajo. No recuerdo siquiera haber pensado en esa palabra con anterioridad. Luego de sopesar la idea por unos minutos, decidí que sí, que podría hacerlo.

»Una amiga nos sugirió a Howard y a mí que asistiéramos a su iglesia. De inmediato me di cuenta que había pasado por alto algo importante que esta iglesia satisfizo en mí. También a Howard le gustó asistir.

»Tendrías que analizar el estado en el que me hallaba: seguía drogándome y convivía con Howard sin estar casada. Sin embargo, en un particular culto del domingo por la noche, recuerdo que me maravillé de cuán increíble era Dios con su pueblo. Firme pero amable, bueno, compasivo, con amor incondicional y comprometido [...] *Ahí estaba de nuevo la palabra... Dios desea que yo también me comprometa con Él. ¿Podré hacerlo? ¿Y qué de todo lo que hice... y lo que sigo haciendo? Ah, pero Él perdona... ¿podrá perdonarme a mí también?*

»Como si hubiera escuchado mi pregunta, el pastor citó Juan 3:16. " 'Porque tanto amó Dios al mundo, que dio a su Hijo unigénito, para que todo el que cree en él no se pierda, sino que tenga vida eterna' ", y siguió diciendo: "Puede que algunos de los que están aquí esta noche no hayan entregado por completo su vida a Dios o quizá anden por un mal camino".

»*¿Acaso me miraba a mí?*

»El pastor prosiguió: "Juan 14:6 dice: 'Yo soy el camino, la verdad y la vida —le contestó Jesús—. Nadie llega al Padre sino por mí'. Jesús tiene un regalo para ti. Efesios 2:8-9 nos recuerda: 'Porque por gracia han sido ustedes salvados mediante la fe; esto no procede de ustedes, sino que es el regalo de Dios, no por obras, para que nadie se jacte'. Me gustaría darles ahora la oportunidad de recibir a Cristo como su Señor y Salvador personal, de que acepten su perdón y su amor incondicional por ustedes".

»*Pero si yo he sido la que daba en todas mis relaciones. ¿Acaso quiere decir que Dios desea darme este maravilloso regalo? ¿Cómo lo recibo?*

»"Por favor, inclinen sus cabezas y cierren los ojos», dijo el pastor. «Si sienten que Él les habla en este momento, repitan esta oración después de mí en el silencio de su corazón".

»Mi corazón latía con fuerza. Quería hacer esa oración para convertirme en una hija de Dios.

»La oración fue algo así: "Señor Jesús, te necesito. Gracias por haber muerto en la cruz por mis pecados. Quiero recibirte como Señor y Salvador. Gracias por perdonar mis pecados y darme la vida eterna. Deseo que asumas el control sobre mi vida y que me conviertas en la persona que quieres que sea".

»Me inundó un gozo imposible de explicar. Era como si estuviera cayendo la dura corteza que recubría mi corazón.

»Al salir del culto, Howard y yo nos contamos casi al mismo tiempo que habíamos aceptado a Cristo.

»Mi lucha duró unos meses porque seguía enganchada a las anfetaminas. El tiempo de rehabilitación fue lo peor que me tocó vivir, pero sé que hubiera sido muchísimo más difícil luego de veinte años de consumir drogas. Al final, dejé las drogas, la bebida y las fiestas, y Howard y yo nos casamos. Seguimos juntos desde entonces. Nuestras familias mixtas nos causaron verdaderos problemas, pero nos hemos esforzado mucho para reparar el daño que les hemos causado a tantas personas antes de recibir a Cristo. Sin embargo, ahora sé que he sido perdonada, soy una hija de Dios y Él está dispuesto a escuchar mis oraciones».

La unión de la familia

Quizá en tu vida no haya la clase de excesos que vivió Bárbara Lea, pero todos nos hemos comportado de maneras que necesitan perdón. ¿Has invitado a Cristo a tu vida? ¿Tienes dudas en cuanto a tu salvación? Si es así, ¿puedo animarte a que tomes la decisión más importante de tu vida? Tú puedes convertirte en una hija de Dios. No hay una decisión de mayor relevancia que la de aceptar al Señor Jesucristo como Señor y Salvador. Si sientes el toque en tu corazón y que tu Padre celestial te atrae hacia sí, puedes hacer una oración como la hizo Bárbara Lea: «Gracias por haber muerto en la cruz por mis pecados. Quiero recibirte como Señor y Salvador. Deseo que me conviertas en la persona que quieres que sea. Amén». Las palabras exactas no son lo que importa. Dios responde a la sinceridad de tu corazón, no a la elocuencia de tus palabras. Dedica este momento a tomar esa decisión ahora mismo... Si acabas de recibir a Cristo como tu Señor y Salvador, quiero darte la bienvenida a la familia de Dios. Ahora eres una hija de Dios.

Lo que Dios siente por nosotros, sus hijos, se expresa en estos versículos. Contempla, medita y reflexiona sobre estas asombrosas verdades.

> Te ama con amor eterno (Jeremías 31:3).
> Eres su propiedad exclusiva, su especial
> tesoro (Éxodo 19:5).
> Te crearon a la imagen de Dios (Génesis 1:27).
> Eres en quien Él se deleita (Isaías 42:1).

Eres precioso y digno de honra ante sus
ojos (Isaías 43:4).
Eres la niña de sus ojos (Deuteronomio 32:10).
Eres su gloriosa herencia (Efesios 1:18).

¿Alguna vez te has sentido tan amada, tan especial y tan
aceptada? «¡Fíjense qué gran amor nos ha dado el Padre, que se
nos llame hijos de Dios! (1 Juan 3:1)».

Mi nuera, Bonnie, a la que llamo mi «hija del corazón», tiene
las huellas digitales de nuestro nieto para asegurarse de que si
alguna vez se pierde, se identificaría y lo traerían a casa. Sus huellas
dactilares son una manera segura de saber quién es y a quién
pertenece. Cuando aceptamos a Cristo, pertenecemos a Dios.
Jamás nos perderemos porque somos partícipes de la naturaleza
divina (1 Pedro 1:4). «Por lo tanto, si alguno está en Cristo, es
una nueva creación [nueva persona]. ¡Lo viejo ha pasado, ha llegado ya lo nuevo!» (2 Corintios 5:17). Tu identidad ha cambiado,
has pasado a ser algo nuevo, tienes «huellas digitales» nuevas.

Acceso inmediato

Como hijas de Dios, tenemos el derecho, el privilegio, la identidad
y la «huella digital» que nos permite hablar con Dios en cualquier momento y en cualquier lugar. No necesitamos que nos
anuncien, ni que nos anoten en lista de espera, ni tampoco tenemos que aguardar nuestro turno. Como hijos de Dios, nuestro
acceso es inmediato.

Somos como el pequeño John F. Kennedy, hijo, que entró
como una tromba en el salón oval de su padre, se sentó en las
piernas de su papá y recibió su plena atención. No era consciente
que su padre era el presidente, ni que quizá interrumpiera una
reunión importante. Solo deseaba estar con su papá, así que
entró, sin que lo anunciaran, pero lo recibieron.

Como hijas de Dios, tenemos acceso inmediato al Rey de
reyes, nuestro Papá, pero no fue siempre de esta manera. En el

Antiguo Testamento, solo el sumo sacerdote podía entrar al Lugar Santísimo para orar por sus pecados y por los del pueblo. Sin embargo, debido a la muerte y resurrección de Jesús, Él abrió el camino para que nosotros entráramos también.

Me encanta cómo lo explica la carta de Hebreos:

Como hijas de Dios, tenemos el derecho, el privilegio, la identidad y la «huella digital» que nos permite hablar con Dios en cualquier momento y en cualquier lugar. No necesitamos que nos anuncien, ni que nos anoten en lista de espera, ni tampoco tenemos que aguardar nuestro turno.

Pero en la segunda parte entra únicamente el sumo sacerdote, y solo una vez al año, provisto siempre de sangre que ofrece por sí mismo y por los pecados de ignorancia cometidos por el pueblo. Con esto el Espíritu Santo da a entender que, mientras siga en pie el primer tabernáculo, aún no se habrá revelado el camino que conduce al Lugar Santísimo [...] Cristo, por el contrario, al presentarse como sumo sacerdote de los bienes definitivos en el tabernáculo más excelente y perfecto, no hecho por manos humanas (es decir, que no es de esta creación), entró una sola vez y para siempre en el Lugar Santísimo. No lo hizo con sangre de machos cabríos y becerros, sino con su propia sangre, logrando así un rescate eterno [...] *Así que, hermanos, mediante la sangre de Jesús, tenemos plena libertad para entrar en el Lugar Santísimo.* (Hebreos 9:7-8, 10-12; 10:19, énfasis añadido).

¿Has permitido que esa verdad atrape tu corazón? ¿Sabes lo que significa? Una vez que comprendes el concepto, eso cambiará tu forma de orar. No somos solo hijos de Dios, sino también sacerdotes. No solo tenemos el privilegio de acercarnos ante el trono de Dios, sino que también podemos presentarle oraciones por otros, tal y como lo hacían los sacerdotes del Antiguo Testamento. No iban nada más por ellos; llevaban las oraciones por toda la nación.

El pastor Ron Dunn aclara: «La Biblia dice que somos un reino de sacerdotes. Eso no solo significa que uno tiene el privilegio de ir ante la presencia de Dios, sino que también quiere decir que tenemos el privilegio y la obligación de llevar a otros ante su divina presencia».

¿Recuerdas la historia de la canoa en el primer capítulo? Cuando oré por la seguridad de mi esposo, mi hijo y sus amigos, me estaba haciendo cargo de mi identidad como hija de Dios y como sacerdotisa para entrar con confianza a la presencia de mi Padre. Tuve acceso inmediato al Creador del cielo y de la tierra, mi «Papá».

Confianza a pesar del silencio de Dios

Saber quién eres en Cristo te da confianza en los momentos cuando oras una y otra vez, pero no divisas respuesta a tus oraciones. Recuerdo la ocasión en que estuve orando durante meses por mi hijo. No andaba en los caminos del Señor. Cierto día en particular, mientras oraba, me sentí abatida y débil en mi fe. ¿Escuchaba Dios en verdad mi oración? ¿Pedía con la fe suficiente?

Le pedí al Señor que me trajera a la mente quién soy en Cristo y comencé a repasar las verdades de la autoridad que se me había conferido como hija y sacerdotisa. Esta fue la oración que brotó de mi corazón: «Padre, quiero presentar mi hijo ante ti. Él no está en tus caminos, sino que vive la vida a su manera. Toma decisiones que dañan su testimonio y su relación contigo. Gracias por recordarme tu mandamiento de que debemos resistir al diablo y decirle que se vaya. Con la autoridad de lo que soy en Cristo y de lo que me guiaste a hacer, voy a llevarlo a cabo en el nombre de Jesús.

»Satanás y poderes demoníacos, en el poderoso nombre del Señor Jesús, les ordeno que dejen en paz a mi hijo. No pueden tenerlo porque le pertenece a Jesús. Ahora huyan.

»Padre, te agradezco que Jesús, el que está en mí, es mayor que Satanás, que está en el mundo. Alzo tu Palabra con la promesa para mi hijo, de que tú has comenzado en él la buena obra y que la continuarás hasta el regreso de Jesucristo. Tú no eres un Dios mentiroso, ni eres como el hombre que cambia de opinión. Lo que has prometido, lo cumplirás. En el nombre de Jesús, amén».

Seguí resistiendo a Satanás en el nombre de Jesús y apoyándome en las promesas de Dios. Qué privilegio como madre ocupar mi posición sacerdotal y poder entrar con osadía ante el trono de Dios e interceder con confianza pidiendo misericordia y ayuda para mi hijo.

Ese día me di cuenta de que si no creo quién soy en Cristo, ni ejercito los derechos que tengo como sacerdotisa en su reino, es como si no tuviera la herencia de una hija, ni la autoridad de una sacerdotisa. A propósito, Dios respondió mi oración. Mi hijo está en los caminos del Señor y le sirve en el grupo de adoración de su iglesia.

Llevar a los seres queridos al lugar santo

¿Con cuánta frecuencia entras a la presencia de Dios? El privilegio, el poder y la autoridad son tuyos. ¿No crees que Satanás quizá esté amenazando tu hogar porque no llevas a tu esposo al Lugar Santísimo con la frecuencia que debieras? Dios desea obrar en la vida de tu esposo tanto como desea hacerlo en la tuya. Aun así, Dios desea que tú lo presentes en el Lugar Santo. ¿Llevas acaso a tus hijos y clamas la Palabra de Dios a su favor? ¿Presentas a tu suegra... tu madre... tu vecino... tus amigos que no son salvos?

¿Eres tan fiel que Dios puede poner una carga sobre tu corazón para orar por algo específico y saber que lo harás?

Deseo contarte una historia que ilustra la importancia de orar con fidelidad. En 1986, el presidente de la misión de la iglesia Park Street en Boston confirmó que los detalles eran ciertos. Esa iglesia sostiene a un misionero médico llamado doctor Bob Foster en Angola. Las fuerzas marxistas tenían el control de Angola; sin embargo, en la zona de influencia de la clínica del doctor Foster continuaba la resistencia guerrillera al nuevo régimen.

Un día el doctor Foster envió a un colaborador a que hiciera una diligencia en una ciudad que distaba unos cuantos kilómetros con la advertencia de que debía regresar antes del anochecer. El camino a recorrer pasaba por la selva y era donde casi siempre combatían los guerrilleros, de modo que era peligroso atravesarla de noche. El colaborador partió, hizo todo los mandados con rapidez y emprendió el regreso.

No obstante, para su consternación, comenzó a fallar el motor de la camioneta y se rompió en medio de la selva. Como no había otros autos en ese camino, no tuvo más opción que cerrar las puertas, orar y tratar de dormir un poco.

Para su asombro, durmió de un tirón hasta la mañana siguiente sin problemas. Volvió a la ciudad en busca de repuestos, arregló la camioneta y terminó el viaje de regreso a la clínica.

Un aliviado doctor Foster y otros colegas lo saludaron. «¡Ah, qué agradecidos estamos por verte!», le dijo el doctor Foster. «Anoche escuchamos sonidos de grandes enfrentamientos». El asistente del doctor Foster comentó que no vio ni escuchó nada.

Poco después que un líder guerrillero llegara hasta la clínica para recibir atención, el doctor Foster le preguntó si no había visto una camioneta detenida en el camino la noche anterior.

—Sí —respondió el hombre.

—Bueno, ¿por qué no la tomaron? —le preguntó el médico.

—Lo intentamos, pero al acercarnos vimos que estaba muy custodiada. La rodeaban veintisiete soldados del gobierno bien armados.

El incidente siguió siendo un misterio hasta que el asistente del doctor Foster regresó a los Estados Unidos de licencia. Una a una las personas de su equipo de intercesión, veintisiete en total, le dijeron que el Señor les había dado una carga especial para que oraran por él ese día que estaba en dificultades en medio de la selva[2].

¿Qué hubiera ocurrido si solo dos de ellos hubieran sido fieles para orar cuando los guiaba el Espíritu Santo? Quizá los guerrilleros habrían asaltado la camioneta porque solo tenía un par de guardias. Sin embargo, Dios confió en veintisiete para que oraran y las oraciones de esos sumos sacerdotes del equipo de intercesión del misionero lo mantuvieron a salvo.

Dios permitió que la preciosa sangre de su Hijo se derramara para que yo pudiera acercarme como hija ante su presencia en cualquier momento. Mi audiencia con Dios no hay que anotarla en la agenda, ni tampoco tengo que esperar. Puedo clamar a Él en beneficio propio y también puedo llevar a toda la nación, a un misionero o a mi familia conmigo. Y puedo ir con confianza.

Dios permita que el siguiente versículo anime tu corazón y sirva para que recuerdes que tú también tienes los derechos y los privilegios de una hija de Dios y de un sacerdote para orar con confianza, no con indecisión, temor ni incertidumbre, sino con confianza. «Esta es la confianza que tenemos al acercarnos a Dios: que si pedimos conforme a su voluntad, él nos oye. Y si sabemos que Dios oye todas nuestras oraciones, podemos estar seguros de que ya tenemos lo que le hemos pedido» (1 Juan 5.14-15).

Amado Dios, gracias por ser tu hija. Y por eso te gozas y te deleitas en mí, ¡qué asombroso! No necesito ser humilde, ni tímida, ni retraída cuando acudo a tu presencia. También te agradezco por poder tener el privilegio y la responsabilidad de ser una sacerdotisa que, por la sangre de Jesús, puede orar no solo por mí, sino también por los demás. Ayúdame a asumir esa responsabilidad con diligencia y honor. Quiero acudir con audacia ante tu trono para recibir tu misericordia y hallar gracia en tiempo de necesidad (Hebreos 4:16).

3

La oración que cambia vidas

Muchas veces cuando crecían nuestros hijos, intentamos organizar cenas acogedoras como las que veíamos en las pinturas de Norman Rockwell. Preparaba el menú, buscaba las recetas, iba a la tienda de comestibles y preparaba cada plato con amor y cuidado. Mientras cortaba en cubitos o en rebanadas, batía y mezclaba, imaginaba la conversación a la hora de la cena y una atmósfera de calma, quietud y sin prisas.

Sin embargo, en ocasiones cuando la cena estaba servida, la escena de Norman Rockwell se transformaba en arte contemporáneo que encandilaba la vista y agitaba los sentidos. En especial durante los años de la adolescencia cuando los ensayos de teatro, los partidos y la vida social los hacían salir por la puerta con tanta velocidad que yo me quedaba con el tenedor en el aire a punto de comenzar a comer cuando me decían: «Gracias, mamá, por la comida. Estuvo muy buena, pero tengo que irme. Nos veremos más tarde». ¿Te parece conocido?

Ah, pero en los días feriados, en nuestra casa, el tiempo siempre se dedica a la familia, a la celebración y a la comida. ¡Qué maravillosas risas, conversaciones e historias entretenidas había a la hora de la cena! Mi momento favorito es cuando se presenta el postre. Es en lo que más nos demoramos y con lo que más nos relajamos. La conversación fluye con libertad y se cuentan historias que quizá no se hubieran hecho de otro modo. La sobremesa es agradable.

Eso mismo es lo que le gusta a nuestro Padre celestial, ese tiempo sin interrupciones que uno disfruta después del postre, esa comunicación franca y fluida. Aun así, muy a menudo nos acercamos a la mesa, tomamos un bocado y gritamos: «Nos vemos luego, Dios», mientras nos precipitamos en lo siguiente de nuestra lista de cosas para hacer. Muchas veces ni siquiera nos quedamos el tiempo suficiente como para cenar.

¿Acaso te cuesta trabajo sentarte el tiempo necesario para escuchar la suave voz de Dios? ¿Para pensar en lo que quieres decirle? ¿Para acallar la delirante lista de las cosas que debes y tienes que hacer y que consume gran parte de tu día?

En este capítulo analizaremos los cuatro tipos de oración que transforman la vida y que revitalizarán tu tiempo con Dios y te harán sentir deseosa de «sentarte a cenar» con Él. Con todo, antes de entregarnos de lleno a las formas específicas de conversar con nuestro Padre, echemos una mirada a lo que nos mantiene alejadas de la oración y por qué debemos superar esos obstáculos.

Platos que giran

¿Recuerdas la atracción circense en la que un hombre mantiene platos que giran en el extremo de las varitas? Comienza por colocar un plato en la punta de una vara. Entonces, gira la vara al punto de que mantiene el plato sin que se caiga. Luego se ocupa de la segunda vara, hace girar el plato y así con cada uno. Cuando ya va por la sexta vara, la primera comienza a bambolearse. La multitud grita y eso hace que el malabarista se ocupe de ella. ¿Es esto una imagen de tu vida? ¿Estás tan ocupada que corres de aquí para allá tratando de hacer juegos malabares con todos los platos a la vez y sacrificando siempre el primer plato que es tu tiempo a solas con el Padre en oración? Puedes llegar a estar tan atareada que ni siquiera tengas tiempo para que Dios se revele a sí mismo y su amor. Te pierdes su sustento que te permite manejar con confianza las dificultades del día, cualesquiera que sean, con su ayuda. Pierdes el derecho a la luz que Él arroja sobre las cosas que te resultan confusas. Y no ves oraciones contestadas.

Por otro lado, si lo piensas, te las arreglas para encontrar tiempo a fin de estar con las personas que amas. Lo sé porque ansío que llegue el viernes por la noche para cuidar a mi nieto. Pienso con antelación en cómo le voy a cantar y a empujar su carrito de arriba abajo por la calle con el orgullo de abuela.

Quizá tú y yo no tengamos ese mismo entusiasmo por estar con Jesús. Sé que a veces tengo que hacer un esfuerzo por recordar los beneficios de pasar tiempo a su lado. En ocasiones he orado mi propia versión del vehemente anhelo de Pablo en Filipenses 3:10. «Amado Señor, quiero conocerte y experimentar el poder de tu resurrección. Quiero sentir tu mano. Deseo amarte con un amor más profundo e íntimo. Haz que sea ferviente en ti».

Me agrada saber que la mesa de Jesús siempre está puesta y que Él espera que me le una. El escritor Warren Myers expresa: «Nuestro Padre, quien piensa en nosotros en todo momento, espera con ansias cada visita, ya sea de unos minutos, de media hora o de toda una tarde»[1]. Darme cuenta de que Dios me espera, me ayuda a separar un momento para conversar, como lo haría con una amiga que me ha preparado un estupendo té.

En parte, resulta difícil separar un tiempo debido a que Satanás se esfuerza al máximo para impedirlo. Quiere que pienses que ser espiritual es ser productivo. No desea que cruces la línea invisible que te separa de la oración poderosa que transforma vidas. Si logra que pienses que estar del lado productivo de la línea es hacer grandes cosas para Dios, obtendrás pocas bendiciones para ti, la familia, la escuela de tus hijos, tu comunidad y tu país. No obstante, si cruzas la línea para estar en comunión con Dios, Él removerá cielo y tierra para responder a tus oraciones y verás grandes victorias y la derrota del enemigo. Satanás sabe que no tiene poder contra tus oraciones.

Planea abandonar

Descubrí que si quiero mantener el celo y la pasión por Dios, debo «hacer planes de abandonar» cualquier cosa que me impediría orar. Así como cualquier cosa que consigue grandes resultados, la oración requiere disciplina. Es una cuestión de la voluntad. Todos los días debo decidir si voy a pasar tiempo con el Padre. No es una decisión que se toma de una vez por todas.

Descubrí que si quiero mantener el celo y la pasión por Dios, debo «hacer planes de abandonar» cualquier cosa que me impediría orar.

Esta mañana, a pesar de los muchos platos que debía mantener en equilibrio sobre las varas, decidí ponerme a orar. Y en mis oraciones incluí una petición por la seguridad de mi familia. ¡Cuánta gratitud sentí por haber dedicado ese tiempo a la oración! Mientras escribía este capítulo, me interrumpió una llamada telefónica de mi hija Trisha.

«Mamá, tuve un accidente», me dijo en cuanto respondí la llamada. Se detuvo ante un semáforo en rojo y un joven conductor la embistió. Luego de averiguar si ella y el otro conductor estaban bien y cerciorarme que la información del seguro que obtuvo era la necesaria, colgamos. Entonces se me ocurrió cuán agradecida estaba de que no permitiera que las ocupaciones diarias se tragaran mi tiempo esa mañana, sino que pude pedir a Dios que protegiera a cada uno de mi familia.

Mientras enfrentamos la decisión de cómo distribuir nuestro tiempo cada día, este poema ayuda a colocar las opciones en perspectiva:

La carrera equivocada

En este día agotador,
no hallé un tiempo para orar, Señor.
Y ahora que termina esta jornada
para orar me siento muy cansada.

Estar tan llena de ocupaciones
me produce náuseas, vértigo, sensaciones...
De solo pensar en los planes de mañana
no me dan ganas de salir de la cama.

Señor, ¿se detendrá alguna vez esta carrera,
o tendré que siempre esforzarme de esta manera?
Anhelo el día de eterno solaz,
cuando en los brazos de Jesús encuentre la paz.

Mas cuando su mirada se encuentre con la mía,
sus sabias palabras me dejarán sorprendida:
«Llevaste una vida a un ritmo desenfrenado,
y lamento decirte que de carrera te has equivocado.

»Corrías y te apurabas todos los días, sin parar
y yo lo único que esperaba era escucharte orar.
Bajo mis alas te habría cobijado,
y fuerzas para lo importante te habría dado».

La moraleja de esta historia es fácil verla aquí,
Jesús no quiere lo que queda, primero me quiere a mí.

Diane Elliot

Sé que muchas mujeres coincidirían en que la oración diaria es importante; pero luego confiesan: «No sé por dónde empezar. ¿Qué debo hacer en realidad en un tiempo a solas con Dios?».

Los «Cuatro pasos de la oración» me han dado un maravilloso formato para mi tiempo de oración. Los pasos son alabanza, confesión, acción de gracias e intercesión. He aprendido mucho sobre la oración al usar este bosquejo, y sigo aprendiendo mientras uso los pasos.

En este capítulo presentaré los pasos. En los capítulos siguientes, analizaremos cada aspecto de la oración con mayor profundidad.

1. Alabanza a Dios

Comienza tu tiempo de oración con alabanza concentrándote en uno de los atributos de Dios, una cualidad que tenga Él. Uno llega a conocer más a Dios al alabarlo y comienza a ver las circunstancias a través del lente del carácter de Dios.

Es evidente que Ruth encontró esta verdad. «En mi respuesta inicial al diagnóstico de cáncer de mama influyó en gran medida la idea de concentrarme en la alabanza. Mi cirujano llamó por teléfono a las dos de la tarde para darme la noticia. Tan solo tenía una hora para calmarme antes de que fueran a buscar mis dos adolescentes al instituto. Se me llenaron los ojos de lágrimas al ir de una habitación a otra conversando con Dios. De pronto, todas las características y atributos de Dios que con gozo mencionábamos en oración en el grupo de MITI fluyeron a mi mente, asegurándome que Dios es mucho mayor que mi enfermedad». Al enumerar quién era su Dios, Ruth pudo componerse antes de las tres de la tarde. A sus hijos los recibió una mamá tranquila y confiada en que Dios tenía todo bajo control.

A medida que aprendes a alabar a Dios por sus atributos, confiarás cada vez más en Él. Después de todo, uno confía en alguien que conocemos. Y cuando alabas a Dios, experimentarás, como Ruth, una maravillosa y plena conciencia de su presencia.

2. Confesión a Dios

Después de tu tiempo de alabanza viene el de confesión. Este es un momento de analizar el corazón, en el que le pides al Espíritu Santo que te revele cualquier esfera de tu vida que quizá no le agrade. Esta oración requiere que seamos sinceras con Dios. Si persistimos en el pecado a sabiendas (ya sean acciones o pensamientos que no agradan a Dios), interrumpimos nuestra comunicación y comunión con Él.

Susi se percató de algunos pecados específicos durante un retiro en el que yo fui la disertante. Relata su historia de esta manera: «Tu mensaje del sábado por la mañana me ayudó a ver el espíritu de falta de perdón que tengo hacia mi esposo. Durante nuestra vida de casados siempre he tenido problemas para aceptar su humanidad. En su lugar, me concentraba en sus flaquezas y debilidades. Prestaba oídos a las mentiras de Satanás y creía que si yo era una mejor esposa, mi marido sería un hombre más piadoso. Esto solo hacía que me sintiera insatisfecha con mi esposo y conmigo misma. Luego de la charla, apenas había cerrado la puerta de mi habitación ya estaba confesando con lágrimas ese pecado a Dios. La carga de todas las otras cosas que estorbaban nuestra relación se aligeró enseguida cuando confesé el enojo que sentía hacia mi esposo. Ansío llegar a casa y pedirle perdón por mi actitud y mis expectativas irreales».

Jesús nunca quiso que acarreáramos el pecado; Él perdonó todos nuestros pecados en la cruz. Susi se humilló, le pidió perdón a Dios e hizo las paces con su esposo. La comunicación turbia y obstruida con su Padre celestial se limpió por la sangre redentora de Jesús.

3. Acción de gracias a Dios

El tercer paso es ofrecer oraciones de acción de gracias en las que expresemos nuestro reconocimiento y gratitud por las respuestas de Dios. Durante esta parte de la oración no hay que pedir nada, solo agradecer. El apóstol Pablo nos dice que debemos dar gracias en todo (1 Tesalonicenses 5:18). Cuando obedecemos esta orden, nuestro corazón se transforma en un corazón agradecido que agrada al Señor (Salmo 50:23).

Aun cuando la respuesta a tu oración sea contraria a lo que pediste, tu gratitud expresa tu confianza en el plan de Dios y hace a un lado el temor y el desánimo. Un corazón agradecido es humilde y confiado. El beneficio de dar gracias no tiene precio: ¡el descanso de Dios! Por lo general, la acción de gracias producirá también un espíritu amable cuando surge un momento difícil y te toma por sorpresa.

Recuerdo una vez así cuando vivíamos en la Columbia Británica. Acabábamos de comprar una casa nueva (un milagro increíble, hasta el punto de preocuparnos). Cuando estuvo lista, nos metimos en el auto para ir a estrenarla con una mezcla de júbilo y entusiasmo. Nunca habíamos vivido en una casa sin golpes, manchas, ni filtraciones... Esta casa no tenía ni un solo desperfecto en alguna parte; era perfecta. Nos apresuramos a llegar a la puerta de entrada. Trisha, que en ese entonces tenía tres años, fue la primera en llegar y abrió la puerta de par en par. El pomo de la puerta golpeó contra la pared de yeso y dejó una gran marca. Los obreros olvidaron poner los protectores de goma para prevenir esa clase de accidentes. Trisha abrió los ojos tan grandes como la marca de la pared y la cara se le puso blanca como la puerta.

Al observar la pared dañada, tomé una decisión. Por la gracia de Dios, di gracias.

Luego pude agacharme a abrazar a mi hija y decirle que sabía que no lo había hecho a propósito. Hasta que pudiéramos arreglarlo, sería un recordatorio del entusiasmo que tenía por el nuevo hogar.

Eso quizá parezca una pequeñez por la que dar gracias, pero descubrí que las pequeñas cosas son las que pueden causar irritación, malhumor y que uno pierda los estribos. Dios sigue enseñándome a través de las pequeñas cosas cuando me pregunta: «¿Vas a dar gracias?».

4. Intercesión ante el Padre

El cuarto paso después de la alabanza, la confesión y la acción de gracias es el momento de acudir ante el Padre con la intercesión. Dicho con sencillez, un intercesor le pide a Dios ayuda para alguien en necesidad. Un intercesor está dispuesto a «permanecer en la brecha» frente al trono de gracia por una necesidad en particular o persona hasta que llega la respuesta.

La oración de las Escrituras con el nombre de la persona dentro del versículo es una poderosa manera de interceder. Debido a que uno usa las propias palabras de Dios, se ora según la voluntad de Dios. Esta práctica brinda certeza y esperanza al corazón, aumenta la fe al confiar en la promesa divina de que su Palabra no volverá vacía, sino que hará lo que Él desea y cumplirá con sus propósitos (Isaías 55:10-11).

Comprobé esta verdad en mi vida cuando oré con fervor por mi hijo mayor, Ty, en relación con su futura esposa. Puse su nombre en el versículo que se encuentra en 2 Corintios 6:14 y oré que Ty no formara «yunta con los incrédulos. ¿Qué tienen en común la justicia y la maldad? ¿O qué comunión puede tener la luz con la oscuridad?»

En el instituto, las chicas amaban a Ty, y él amaba a las chicas. Traía a casa a una pequeña encantadora que no amaba a Jesús. Entonces le mostraba cariño, oraba por su salvación, la invitaba a cenar, ¡y luego oraba para que desapareciera! Le decía a Dios: «Señor, tú eres omnisciente y sabes si va a aceptarte como Señor y Salvador de su vida. Si no te va a aceptar, te ruego que la apartes de él». No recuerdo cuántas muchachas cruzaron la puerta de la calle, pero yo seguía orando.

Durante el primer año en la universidad, Ty era líder de adoración en la pequeña iglesia a la que asistíamos. Un domingo por la mañana vi a una bella jovencita cuyo atuendo me recordó el personaje de *Ana de las tejas verdes*. Su amplia falda verde y la chaqueta haciendo juego anunciaba dulzura y modestia. No podía apartar los ojos de ella. Luego me enteré de que había nacido en Kentucky y había venido a San Diego para capacitarse en empresa estudiantil, un ministerio de Cruzada Estudiantil y Profesional para Cristo.

Al domingo siguiente lucía un sombrerito encantador y le noté un aire tal de hermosa inocencia que oré en mi interior: «Señor, creo que podría incluirla en nuestra familia». Nueve meses más tarde tuvimos la boda de Ty y Patti en el jardín.

Oré 2 Corintios 6:14 por todos mis hijos, a fin de que no formaran yunta con los incrédulos. Dios en su gracia y bondad trajo a nuestra familia dos «hijas del corazón» más: Bonnie y Tara, que también aman al Señor con todo su corazón, con toda su alma y con toda su mente.

A esa altura, seguía orando por nuestra hija. «Señor, tú prometiste que no tienes favoritos. Tengo una hija más, nuestra preciosa Trisha. Tráele un joven piadoso que te ame de todo corazón y que ame a Trisha como Cristo ama la iglesia». Una vez más vi la fidelidad de Dios, cuando Trisha se comprometió con Chris, un hombre que ama al Señor, y a ella.

Más adelante analizaremos más el uso de las Escrituras en nuestras oraciones, pero el ejemplo de cómo oré por las parejas de mis hijos muestra cómo puedes comenzar la aventura de la oración intercesora.

La respuesta de Dios

Mientras oras y recorres los cuatro pasos que transforman la vida, quizá desees tener en mente la imagen de lo importantes que son nuestras oraciones para el Creador del universo. (Adapté este pensamiento de un mensaje que diera el Rvdo. Ron Cline en una conferencia misionera).

Ángeles que se contaban por millares de millares y millones de millones rodeaban el trono de Dios. A viva voz cantan: «¡Digno es el Cordero, que ha sido sacrificado, de recibir el poder, la riqueza y la sabiduría, la fortaleza y la honra, la gloria y la alabanza!» (Apocalipsis 5:12).

Entonces cada criatura en el cielo, en la tierra, debajo de la tierra y en el mar canta: «¡Al que está sentado en el trono y al Cordero, sean la alabanza y la honra, la gloria y el poder, por los siglos de los siglos!» (Apocalipsis 5:13).

De repente, Jesús detiene todo. «Chis, escuchen... Alguien está orando. Escucho que mi hija me llama».

Oremos

Al establecer un momento fijo y regular para leer la Palabra y orar, las raíces de tu vida crecerán profundas en el terreno del amor de Dios. ¿Decidirás ahora mismo ser disciplinada en esta importantísima decisión? Si es así, ora: «Padre, dame ansias por conocerte. Ayúdame a comprometerme a tener un tiempo a solas contigo todos los días. En el nombre de Jesús, amén».

Cómo comenzar:

A. Establece la hora.

Aparta tiempo; dale a Él la mejor parte de tu día. Haz todo lo posible para que nada interfiera. Y toma la determinación de no apresurarte.

Actividad concreta:

Apartaré _____ (cantidad de tiempo: diez minutos, media hora) a las _____ (6:00 a. m., 9:00 p. m.).

B. Elige un lugar.

Separa un lugar en el que puedas reunirte con Dios a solas. Evita las distracciones. (Podrías dejar que el contestador automático de tu teléfono grabe los mensajes durante este tiempo). Prepara tu lugar con Biblia, bolígrafo, cuaderno o diario.

Actividad concreta:

El lugar de encuentro está en _____.

Al comenzar, espera escuchar su voz. Comienza orando: «Ábreme los ojos para que contemple las maravillas de tu ley» (Salmo 119:18).

C. Haz un plan.

Emplea los cuatro pasos de la oración.

Alabanza: Tiempo para alabar a Dios por lo que es Él.

Confesión: Tiempo para analizar el corazón.

Acción de gracias: Tiempo para darle gracias a Dios por lo que ha hecho.

Intercesión: Tiempo para estar en la brecha por las personas y las circunstancias.

Es difícil llegar a entender que nuestras oraciones sean tan importantes para Dios que hasta podría acallar las huestes del cielo que lo alaban, ¿no es cierto? Apocalipsis 5:8 dice que nuestras oraciones se guardan en copas de oro. Solo piensa que cada una de nuestras oraciones es un dulce incienso para el Señor y que se guarda cada una. No lanzamos nuestras oraciones a la inmensidad del espacio, donde forman remolinos en el olvido. No, nuestro misericordioso y amante Padre celestial las escucha de inmediato.

No lanzamos nuestras oraciones a la inmensidad del espacio, donde forman remolinos en el olvido. No, nuestro misericordioso y amante Padre celestial las escucha de inmediato.

Él se conmueve con nuestras oraciones y toma muy en serio todas y cada una de ellas, y las responde. A veces la respuesta es «sí», otras es «no», y a veces «espera». Aun así, Él siempre responde.

¿Por qué orar?

Mientras oramos recibimos muchos beneficios además de ver las respuestas. ¿Por qué debemos orar?

Porque estamos en comunión con nuestro Padre celestial (Apocalipsis 3:20).
Porque la oración glorifica a Dios (Juan 14:13).
Porque la oración nos libra de todas las angustias (Salmo 34:6).
Porque podemos conocer la sabiduría de Dios (Santiago 1:5).
Porque la oración vence a Satanás (Mateo 18:18-20).
Porque la fe aumenta (Santiago 5:17-18).
Porque la oración da resultados (Santiago 5:16; Mateo 6:10).
Porque Jesús oró (Marcos 1:35).

Como hijas de Dios debemos ir tras nuestro llamado supremo: la oración. Por lo tanto, te animo a que seas disciplinada, a cualquier precio, en la práctica de la oración, que ores cuando tengas deseos y cuando no los tengas. Ten presente que a veces tus oraciones parecerán aburridas e irreales. El escritor E. Stanley Jones lo explica al decir que no existe «el brillo». Nos anima diciendo: «Manténganse firmes, el brillo regresará. Al hacerlo, establecerás un hábito de oración. Te convertirás en una persona que vive según principios antes que por impulsos, por decisiones antes que por deleites. La oración siempre es buena, tenga o no un contenido emocional»[2].

La conversación con nuestro Padre nos da la oportunidad de experimentar su presencia, permitiendo que Él se comunique con nosotros en los niveles más profundos de necesidad. Este capítulo te ofreció una introducción sobre cómo hablar con Dios usando los cuatro pasos: alabanza, confesión, acción de gracias e intercesión, a fin de darle forma a tus oraciones. En la parte que sigue, daremos una mirada más profunda a cada uno de esos pasos, los pondremos en práctica y comenzaremos la aventura de descubrir cuán transformadora de la vida puede ser la oración.

Padre celestial, gracias por desear tener una relación íntima conmigo. Ayúdame a tomar la decisión de hallar el tiempo para estar contigo. Tráeme a la memoria los beneficios duraderos de la comunión contigo y lo determinante que puede ser la oración en mi vida y en la de mis seres queridos. Permite que este pasaje de los Salmos refleje mi corazón: «¿A quien tengo en el cielo si no a ti? Si estoy contigo, ya nada quiero en la tierra. Podrán desfallecer mi cuerpo y mi espíritu; pero Dios fortalece mi corazón; él es mi herencia eterna [...] Para mí el bien es estar cerca de Dios. He hecho del Señor Soberano mi refugio». En el nombre de Jesús, amén.

Segunda parte

La oración
con los cuatro pasos

4

Alabanza: La oración de acuerdo a los atributos de Dios

Una maestra de preescolar observaba a los alumnos mientras dibujaban. De tanto en tanto se acercaba para mirar en detalle el trabajo de cada niño. Al mirar a una niña que trabajaba con diligencia, la maestra le preguntó qué dibujaba.

—Estoy dibujando a Dios —respondió la pequeña.

—Pero nadie sabe cómo es Dios.

Sin perder un instante y sin quitar los ojos de su dibujo, la niña respondió:

—Lo sabrán en un minuto.

¿No te habría encantado ver ese dibujo? Por fortuna para nosotros, Dios pintó un retrato suyo a lo largo de toda la Escritura al revelarnos su carácter. Podemos saber cómo «luce» mediante el aprendizaje y el estudio de sus atributos (un atributo es una cualidad de Dios que nos reveló Él mismo). Su retrato jamás está en conflicto con Él, pues es lo que dice ser. Al conocerlo, aumentará el deseo de exaltarlo, adorarlo y estimarlo, y hacer que se conozca su retrato.

Jack R. Taylor, en su libro *The Hallelujah Factor*, lo resume de esta manera: «La alabanza no es más ni menos que un compromiso y una confesión del soberano poder y la providencia de Dios [...] Conocerlo es alabarlo»[1]. Cuando lo alabamos, nos unimos a un coro de millones, pues los Salmos dicen: «Tus santos te bendigan» (Salmo 145:10, RV-60).

La alabanza es la eterna búsqueda del tesoro con el fin de aprender a conocer a nuestro Dios. Se diferencia de la acción de gracias en que la alabanza es adorar a Dios por lo que es Él, mientras que la gratitud se centra en lo que hizo Él.

No se hacen peticiones durante este paso inicial de nuestra oración. El escritor Dick Eastman declara: «Primero debemos dirigir nuestra atención a Dios en oración antes de dirigirla a nosotros mismos [...] En su naturaleza, la alabanza no es egoísta»[2].

La alabanza a Dios al principio de nuestro tiempo de oración le pone en su legítima posición, dándole una perspectiva desde el salón del trono de que un Dios amoroso y soberano tiene el control de todo. La verdad de sus atributos nos otorga la base firme sobre la que luego fluirá nuestra intercesión. Es un momento sagrado que nos alienta a concentrarnos en lo que es verdadero e inmutable de Dios, en vez de concentrarnos en las circunstancias cambiantes.

Más cerca de Dios

Antes de institucionalizar la idea de usar los cuatro pasos de la oración en mi tiempo a solas con Dios, mis oraciones se limitaban a confesiones y peticiones. Sin embargo, ahora comienzo con alabanza. Como resultado, sigo aprendiendo más acerca de Él y experimento una maravillosa percepción de su amorosa presencia.

Recibo noticias de mamás en todas partes del mundo de cómo la alabanza a Dios las ha llevado a tener una relación más profunda e íntima con Él. Lynna me escribió: «Mientras me preparaba para nuestra hora de oración en grupo, aprendí muchísimo sobre los atributos y el carácter de nuestro Señor. Pasaron varios años antes de darme cuenta de que siempre que investigaba alguno de esos atributos para nuestro grupo, aprendía cada vez más acerca de Él. Y que mientras más aprendía, más personal se volvía mi relación con Él».

¿Qué parte de tu vida de oración consiste en alabar al Señor por lo que es Él? Quizá te ayude a incorporar la alabanza a tus oraciones al recordar que a todos nos gusta que nos alaben. Dentro de cada uno de nosotros está el deseo de que nos valoren, admiren y honren por nuestras virtudes o logros. Entonces, ¡cuánto más nuestro Padre celestial es merecedor del reconocimiento y la admiración! Él es el único justo en todos sus caminos (Salmo 145:17), sin pecado y sin mancha. El salmista expresa: «La gloria, SEÑOR, no es para nosotros; no es para nosotros sino para tu nombre, por causa de tu amor y tu verdad» (Salmo 115:1). Cuando lo glorificamos, nos quedamos admirados ante su santidad, nos reconforta su reino soberano, nos regocijamos en su infinita omnisciencia y recibimos la bendición de su inigualable gracia y amor.

Cuando lo glorificamos, nos quedamos admirados ante su santidad, nos reconforta su reino soberano, nos regocijamos en su infinita omnisciencia y recibimos la bendición de su inigualable gracia y amor.

¿Qué hace uno durante un tiempo de alabanza? Descubrí que las Escrituras eran la mejor maestra. En los Salmos, David expresa su amor y adoración al Señor con suma elocuencia. Siempre parece revelar una faceta asombrosa de la naturaleza de Dios. Cuando leo esas palabras, las ofrezco a Dios de todo corazón y oro: «Padre celestial, eres "clemente y compasivo, lento para la ira y grande en amor". Eres "bueno con todos" y te compadeces de toda tu creación» (Salmo 145:8-9).

Otras veces escojo un atributo, tal como la fidelidad. Busco versículos sobre la fidelidad en la concordancia al final de mi Biblia o de la hoja de atributos de Madres Unidas para Orar. De esos versículos surge una oración. «Oh Señor, grande e incomparable es tu fidelidad. La fidelidad define la naturaleza de tu carácter. Eres fiel en todas las cosas y en todas las circunstancias. Tus caminos son perfectos y tus promesas son verdad. Te exalto

porque cumplirás lo que dijiste. Nunca habrá una mínima des-
viación en tu fidelidad. Nunca cambias y tu misericordia y compasión permanecen para siempre. Eres fiel en proveerme todo lo
necesario. Con gran alabanza y adoración es que te estimo como
mi Dios fiel».

La adoración puede ser algo tan sencillo como declarar:
«Señor, eres fiel», «Señor, eres santo», o «Padre, tú eres amoroso».

Otras fuentes de alabanza

Además de extraer de las Escrituras, me encanta rebuscar a partir
de los santos. La lectura de clásicos como Oswald Chambers,
E.M. Bounds y Charles Spurgeon hace que me concentre en
muchísimos aspectos dignos de alabanza de nuestro Señor y los
exprese en un lenguaje que eleva mi espíritu hasta el mismo cielo. Es posible que tengas otros escritores favoritos o más con-
temporáneos tales como Dick Eastman o Max Lucado.

Charles Spurgeon enciende nuestro corazón en alabanzas a
Dios por su bondad cuando escribe: «Su bondad se contempla
en la creación. Brilla con cada rayo de sol, destella en cada gota
de rocío, sonríe en cada flor y susurra junto con la brisa. La tierra, el mar y el aire, rebosantes de innumerables formas de vida,
están llenos de la bondad del Señor. El sol, la luna y las estrellas
declaran que el Señor es bueno y todos los elementos terrestres
hacen eco a esa proclamación»[3].

¡Vaya! ¿Podemos decir todas juntas un vigoroso «Amén, alabado sea el Señor»? Mientras más aprendemos a alabar a Dios,
más natural se vuelve.

Otra forma maravillosa de alabarlo es recitar o cantar los
antiguos himnos. He aquí uno de mis preferidos: «El profundo
amor de Cristo»[4].

El profundo amor de Cristo
Es inmenso, sin igual;
Cual océano sus ondas

En mí fluyen, gran caudal.
Me rodea y protege
la corriente de su amor,
Siempre guiando, impulsando
Hacia el celestial hogar.

El profundo amor de Cristo
Digno es de loor y prez;
¡Cuánto ama, siempre ama,
Nunca cambia, puro es!
¡Cuánto ama a sus hijos,
por salvarlos Él murió!
Intercede en el cielo
Por aquellos que compró.

Samuel Trevor Francis

El consuelo que brindan sus atributos

Si perseguimos la meta de alabar a Dios todos los días, descubriremos que para cada necesidad, problema, incapacidad o prueba que encontremos, algún atributo brotará en nuestro corazón que nos dará la paz y la fortaleza para salir victoriosos de la situación.

Una mamá descubrió que la alabanza a Dios la ayudó a superar la angustia que sentía por su hija. Lo relata de la siguiente manera:

«Nuestra hija de quince años, Marci, no regresó a casa una noche luego del trabajo. Había decidido dejar la casa para llevar una vida de "libertad" con una amiga carente de límites. Esta elección alimentó el estilo de vida inmoral y el problema con la bebida de nuestra hija. Al día siguiente de abandonar nuestra casa, se reunió mi grupo de Madres Unidas para Orar. Nuestro motivo de alabanza de ese día era: "El Señor es nuestro guardador". El Salmo 145 nos dice que el Señor cuida a todos los que lo aman, pero que aniquilará a todos los impíos. Alabé a Dios por su atributo sabiendo que mantenía mis emociones intactas y guardaba la vida de mi hija de cualquier daño. Durante el momento de intercesión, oramos el Salmo 121:7 por mi hija, poniendo su nombre en la Escritura: "El SEÑOR [...] protegerá [a Marci]; de todo mal protegerá [...] [la vida de Marci]. El Señor [...] cuidará [a Marci] en el hogar y en el camino, desde ahora y para siempre". Dios fue su cuidador durante los siguientes cuatro años de malas elecciones y siempre me animó con su Palabra. Al final, regresó a casa y la intimidad perdida en esos años adolescentes volvió ahora a los veinte. Este verano, doce años más tarde, su padre y yo la acompañamos el día de su boda con el hombre por el que oramos en nuestro trigésimo cuarto aniversario de boda. Sí, Dios es nuestro guardador, y es fiel para escucharnos y responder a cada oración a favor de nuestros hijos mientras esperamos en Él».

Con frecuencia, en las dificultades de la vida aprendemos a conocer mejor a Dios. Él nos atrae mediante la alabanza. Como Spurgeon declara:

> En medio de la tormenta aprendemos a dar «gracias al Señor por su gran amor, por sus maravillas en favor de los hombres» (Salmo 107:8). Si pudiera, desearía que mi vida fuera tan tranquila como una tarde de verano en la que una leve brisa agita apenas las flores. Desearía que nada volviera a estorbar la serenidad de mi espíritu apacible [...] No hay dudas de que jamás percibiremos la grandeza de su bondad si no contemplamos la profundidad del horrible pozo del que nos sacó[5].

Por supuesto que no escogeríamos las tormentas, pero al que encontraremos en medio de la tormenta es Dios, el que cambia nuestros temores en fe.

Rle y yo experimentamos una terrible situación cuando nuestro hijo Troy tenía tres años. Una mañana, abrigué a Troy y lo llevé a la clínica creyendo que tendría amigdalitis. Cuando el médico terminó de examinarlo, noté que se veía preocupado. Dijo que palpaba una dilatación en la zona abdominal. Confundido por lo que palpó, llamó a otro médico para que evaluara a Troy. Pensaron que algo no marchaba bien en su bazo, pero no estaban seguros. Después de dialogar, coincidieron en que se necesitaban unas radiografías.

En lo que parecía una alucinación, Troy y yo nos dirigimos a radiología. Los rayos X revelaron que existía una obstrucción en el riñón derecho y el riñón izquierdo se estaba llenando de fluidos venenosos. Lo que comenzó con una simple consulta médica se estaba convirtiendo en una pesadilla.

Las semanas siguientes fueron un torbellino de análisis y visitas a los médicos. Se tomó la decisión: Extirpar el riñón izquierdo; solo se dejaría el derecho.

Llegó el día de la operación. Se me hizo un tremendo nudo en la garganta y las lágrimas corrían por mis mejillas mientras el personal médico se llevaba a Troy en la camilla. Me sentí muy impotente. Ya no podía acariciarlo, ni consolarlo, ni orar por él, ni cantarle. Me vi forzada a dejar su pequeña vida en las manos de Dios.

Cuando acudí a Dios, el atributo que cambió mi temor en fe fue que Él era el Creador. Creó a Troy tal y como era. Nunca antes había resonado esa verdad con tanta fuerza en lo profundo de mi corazón.

Me senté en la sala de espera durante tres horas derramando la Palabra de Dios. Ansiosa de que Él hablara a mi ansioso corazón, llené mi mente con alabanzas a Dios el Creador. Ponía el nombre de Troy en el Salmo 139:13-16 (LBD) y oré: «Padre, te alabo por haber creado a Troy. Tú hiciste todas las delicadas partes internas de su cuerpo y las uniste en mi vientre. ¡Gracias por hacer a Troy tan admirablemente complicado! Es admirable pensar en ello. Maravillosa es la obra de tus manos, ¡y qué bien la conozco! Tú estabas presente cuando Troy estaba siendo formado en el más completo secreto. Tú lo viste antes de que naciera y fijaste cada día de su vida antes de que comenzara a respirar. ¡Cada uno de sus días fue anotado en tu libro!».

Algo sucedió en mi espíritu mientras alababa a Dios el Creador. La paz de Dios comenzó a cubrir mi corazón como una tibia manta. Puedo dar testimonio de que si nos sometemos a Dios, estaremos en paz (Job 22:21). Otros pasajes de las Escrituras consolaron mi corazón durante ese tiempo y seguí ofreciendo mi alabanza. Cuanto más lo alababa, más sencillo era para mí descansar. Renuncié a mi hijo y lo dejé en los brazos del Padre.

Durante ese tiempo de prueba, Dios trajo a mi mente un versículo que me conmovió de forma poderosa. «No hay por qué temer a quien tan perfectamente [...] ama [a Troy]. Su perfecto amor [por Troy] elimina cualquier temor. Si [...] [yo siento] miedo es miedo [...] [a lo que pueda hacerle a Troy] y con ello [...] [yo demuestro] que no [...] [estoy] absolutamente convencid[a] de su amor hacia [...] [Troy]» (1 Juan 4:18, LBD).

En respuesta a numerosas oraciones, el riñón izquierdo se pudo extirpar sin complicaciones. Cada seis meses tuvimos que controlar su riñón derecho para asegurarnos que no empeorara la obstrucción. Dios en su gracia y divinos propósitos para Troy sanó por completo el riñón que le quedaba. Ahora tiene treinta y un años, y el riñón funciona bien.

Algo sucedió en mi espíritu mientras alababa a Dios el Creador. La paz de Dios comenzó a cubrir mi corazón como una tibia manta.

Mi decisión de alabar me ayudó a quitar los ojos de las circunstancias para ponerlos en Dios y así dejar de mirar la lucha para vislumbrar al Vencedor. Como dijo Josafat: «No sabemos qué hacer y a ti volvemos nuestros ojos» (2 Crónicas 20.12, RV-60).

Sabemos que en la vida enfrentaremos problemas, temor, ansiedad, enfermedad, soledad, vacío, abandono, vulnerabilidad y angustia. ¿Qué harás cuando te golpeen estas cosas? ¿Tendrás «experiencia» en ofrecer alabanza a nuestro Señor?

Tengo varias amigas que en este momento atraviesan pruebas desgarradoras. Una mamá está abatida por una hija rebelde que es adicta a las drogas y está en prisión. Otra mujer acaba de recibir la devastadora noticia de que su esposo la dejará. Una familia intenta sobrevivir a las emociones por el accidente fatal de un hijo. La muerte repentina de un esposo ha dejado deshecha a su esposa. Una mamá de cuatro hijas pequeñas tiene cáncer en el oído y en el cerebro. Sí, la vida en el planeta Tierra trae tribulación.

Los beneficios de la alabanza

¡Cuán bueno es que Dios nos mandara que le alabemos! Eso no solo le da toda la gloria, sino que también nos beneficia.

Doreen Tomlin ni se imaginaba que Dios le pediría que entregara un «sacrificio de alabanza» (Jeremías 17:26, RV-60). Como lo explica Joni Eareckson Tada: «A veces nuestro regalo de alabanza implica un costo, pues alabar en medio del sufrimiento hace que la alabanza sea mucho más gloriosa».

El hijo de Doreen, John, fue uno de los alumnos asesinados en el instituto de Columbine. ¿Cómo puede sobrellevar una madre esa terrible pérdida? ¿Qué palabras lograría consolar su corazón hecho añicos?

Le pregunté qué le ayudó en medio de ese tiempo tan difícil. Me respondió: «Me aferré con todo mi ser a los atributos divinos. Aun así, el atributo que más significó para mí entonces fue la omnisciencia de Dios». (Él sabe todas las cosas).

A veces se veía rumiando los «qué si». *¿Qué si no nos hubiéramos mudado a Littleton? ¿Qué si lo hubiéramos enviado a otra escuela?* Sin embargo, sus pensamientos nunca se agitaron descontrolados porque durante diez años había establecido la práctica de alabar a Dios por sus atributos.

Halló solaz en estos pasajes de las Escrituras: «¡Qué profundas son las riquezas de la sabiduría y del conocimiento de Dios! ¡Qué indescifrables sus juicios e impenetrables sus caminos!». «Dice el Señor que *hace conocer* todo esto desde tiempos antiguos».

«Porque yo *sé* muy bien los planes que tengo para ustedes». «¡Cuán preciosos, oh Dios, me son tus pensamientos! ¡Cuán inmensa es la suma de ellos!» (Romanos 11:33; Hechos 15:18, RV-60; Jeremías 29:11; Salmo 139:17, énfasis añadido).

Dios enfrentó a Doreen con su omnisciencia, lo que incluía su conocimiento de lo que le sucedería a su hijo. Decidió confiar en su Dios que todo lo sabe, todos los hechos, pasados, presentes o futuros. La alabanza la ayudó a rechazar la tristeza y le dio paz aun en medio de su llanto haciendo que su alabanza sea «mucho más gloriosa».

Poder que se disipa, mentiras destructivas

Satanás no desea que obtengamos la victoria en las circunstancias devastadoras. Quiere que dudemos del amor de Dios. Se esfuerza por minar nuestro concepto de lo que es Dios. Si gana, nos quedamos debilitadas, temerosas e incrédulas. Por eso es tan importante conocer a Dios. Darle la alabanza a Dios disipa el poder de Satanás. Cuando decimos la verdad, y nos dirigimos a Dios por lo que es Él, nuestra oración destruye las mentiras de Satanás. Si creemos sus mentiras, estas pueden destruirnos. «La alabanza [...] hace huir de inmediato a Satanás», afirma el escritor Dick Eastman. «No puede tolerar la presencia de Dios. ¿Y dónde hallamos la presencia de Dios? En el Salmo 22:3 se nos dice que Dios habita entre las "alabanzas" de su pueblo»[6].

Desarrollar una vida de alabanza es desarrollar inmunidad contra los ataques del enemigo. Paul Billheimer sugiere también: «Satanás es alérgico a la alabanza, por eso donde hay alabanza masiva y triunfante, se ve paralizado, limitado y desterrado»[7]. Después de todo, es lo que Jesús hizo en Mateo 4:8-10. Cuando lo tentó, respondió diciendo: «¡Vete, Satanás! —le dijo Jesús—. Porque escrito está: "Adora al Señor tu Dios y sírvele solamente a él"».

El rey Josafat estaba en una situación espantosa. Tres ejércitos lo interceptaban para declararle la guerra al pueblo de Judá.

Oremos

La alabanza es un tiempo poderoso de la oración cuando se adora el nombre de Dios, sus atributos y su carácter. Aprender a alabar a tu Dios te conducirá a una relación con Él más dulce e íntima. Él ansía revelarse a ti a través de la alabanza.

Cómo alabar:

1. *Escoge un atributo.* (En las páginas 217-220 se brinda una lista de atributos acompañados de pasajes bíblicos. Además, en la página 221 se provee una hoja para el «Tiempo devocional», a fin de ayudarte a través de tu tiempo de oración). Usemos la omnisciencia de Dios como nuestro ejemplo.

2. *Busca la definición del atributo en el diccionario.* «Omnisciencia: conocimiento de todas las cosas reales y posibles, atributo exclusivo de Dios».

3. *Busca pasajes que hablen del atributo.* Puedes usar la concordancia que está al final de la Biblia para hallar los pasajes o fijarte en la lista de versículos en las páginas 217-220 de este libro.

4. *Lee la Escritura.* Romanos 11:33 habla de la omnisciencia de Dios. «¡Qué profundas son las riquezas de la sabiduría y del conocimiento de Dios! ¡Qué indescifrables sus juicios e impenetrables sus caminos!»

5. *Ora las Escrituras a Dios como alabanza. Alábalo por lo que te ha revelado acerca de sí.* «Padre celestial, me maravillo por la profundidad de tu sabiduría. Tu conocimiento es tan rico y profundo que no lo alcanzo a comprender. Conoces todas las cosas y las sabes al instante. Te alabo porque no hay nada que no sepas. Me regocijo porque en tu suprema sabiduría el desenlace de cada situación es siempre para mi bien. Tu sabiduría es demasiado maravillosa como para comprenderla. No puedo descifrar tus caminos, pero confío en ti. Te alabo porque eres mi Dios que lo sabe todo. En el nombre de tu Hijo, amén».

6. *Busca otro pasaje que puedas orar.* Estás comenzando a conocer a tu Dios.

Después que el rey Josafat buscó a su Dios y consultó con líderes piadosos, se expuso el plan. Judá vencería al enemigo a través de la alabanza. El coro lideraría la marcha, «vestido con túnicas santificadas. Irían alabando y dando gracias a Jehová y cantando la canción: "Para siempre es su misericordia"» (2 Crónicas 20:21, LBD). ¿El coro? ¿La alabanza? ¿Caminar delante del ejército? Escuchen lo que sucedió: «Cuando comenzaron a cantar y alabar al Señor, Jehová hizo que los ejércitos de Amón, Moab y de Seir comenzaran a pelear entre sí, y se destruyeran unos con otros» (Crónicas 20:22, LBD). Dios interviene de manera poderosa cuando alabamos, disipa el poder de Satanás y provee la victoria.

El enemigo quiso atacar la fe de Marlae mientras enfrentaba lo que parecía una situación imposible con su hija. «En el verano de 1999, mi esposo y yo subimos a nuestra hija de diecisiete años a un avión rumbo a la casa de su tía, a cuatro mil kilómetros de distancia. Estaba en graves problemas, tomando decisiones equivocadas y juntándose con un grupo peligroso. Luego de pedir consejo y de mucha oración, Dios nos guió a enviarla lejos de nosotros con la esperanza de que la distancia y el amor firme hablaran a su corazón. También rogamos a Dios por eso. Todavía recuerdo la carga que tenía en mi corazón.

»En muchos sentidos debió haber sido el peor verano de mi vida, pero al volver la vista atrás, creo que fue el mejor. Cada mañana tomaba la decisión de concentrarme en uno de los atributos de Dios. Experimentaba su paz y su fidelidad como nunca antes. Dios me enseñó que mientras alzara mis ojos a Él y recordara todos los días (a veces cada hora) que Él es constante, que estaba ahí a mi lado y que es fiel, sería capaz de pasar por aquello».

Nada hay tan poderoso como la alabanza. La alabanza le da la gloria debida a su nombre; nos acerca de forma más íntima al corazón del Padre; nos permite levantar la vista, poniendo la mira en las cosas de arriba; cambia nuestra actitud; trae una percepción de la presencia de Dios; derrota a Satanás; libera el poder de Dios; trae una perspectiva victoriosa; provee paz; nos protege de los espíritus de autocompasión, depresión y desaliento; y produce fortaleza en un corazón ansioso. A través de la alabanza hallamos esperanza en lo que parecen ser situaciones imposibles. ¡Alabado sea el nombre del Señor!

«Dichosos los que saben aclamarte, Señor, y caminan a la luz de tu presencia; los que todo el día se alegran en tu nombre y se regocijan en tu justicia» (Salmo 89:15-16).

Oh, Señor Dios Todopoderoso, te ruego que derrames de tu Espíritu Santo en mí, que los ojos de mi corazón se abran para conocerte mediante el poder de la alabanza. Haz que esté dispuesta a alabarte y a adorarte con un corazón puro. Que pueda buscarte de todo corazón y hallar la dulce conciencia de tu presencia. Hago mía la oración de A. W. Tozer: «El profeta y el salmista, el apóstol y el santo me han animado a creer que, en alguna medida, puedo conocerlo a Él. Por eso oro, cualquiera que sea la faceta que Él haya decidido revelar, a fin de que me ayude a buscarle como al tesoro más preciado que los rubíes o que el oro»[8]. Amén.

Confesión: Quita los escombros

Linda era graduada en Biblia de la universidad, pero sentía que le faltaba algo en su caminar con el Señor. «No tenía idea de qué era», dijo, «solo que algo no andaba bien». Entonces, después de escuchar la exposición de un orador sobre la confesión en un retiro, se le encendió una lucecita. «Me di cuenta de que nunca había aprendido a enfrentar el pecado. Era muy conocedora de Dios y la Biblia, pero de alguna manera pasaba por alto la condición de que cada vez que sabemos que estamos en pecado necesitamos abandonarlo en ese momento».

En el pasado, Linda acumulaba los asuntos que debía confesar hasta el final del día, del fin de semana o para cuando tuviera tiempo de hacerlo. «Por supuesto, cuando hallaba el momento propicio, olvidaba a menudo algunas cosas que tenía que confesar», señaló Linda. «Tenía que encargarme de un montón de cosas, pero gracias al Señor ahora sé lo que debo hacer... y lo hago al instante».

¿Qué me dices de ti? ¿Sabes lo que tienes que hacer con las ofensas que cometes contra Dios? ¿Acaso apilas las cosas dentro de tu corazón hasta que te sientes demasiado indigna para orar siquiera? ¿Y qué me dices de los pecados que consideras grandes en particular? ¿Sabes cómo llevarlos ante Dios para recibir un corazón limpio?

Una mujer me contó que como resultado de haber aprendido a confesar sus pecados, por primera vez se sentía perdonada de verdad. A los diecisiete años tuvo un aborto, pero a pesar de que pedía perdón una y otra vez, jamás lograba liberarse de la decisión tomada. Aun cuando tenía un esposo amoroso y dos hermosos hijos, seguía sintiendo la culpa. Entonces, luego de escuchar una charla sobre el perdón y la confesión, dijo: «No podía pensar en alguien en mi vida que debía perdonar. Luego me di cuenta de que era yo misma a la que debía perdonar. Sentí como si me hubieran quitado un enorme peso de encima. Esa conversación me guió al amoroso corazón de Dios».

Ya sea que nuestros pecados sean cosas cotidianas y pensamientos que se deban presentar ante el Señor o esferas de culpa que hemos albergado en nuestro corazón por años, tener un tiempo regular de confesión nos ayudará a limpiarnos y nos capacitará para comunicarnos con Dios con libertad. Es por eso que, en nuestro proceso de oración de cuatro pasos, a nuestro tiempo de alabanza le sigue el de confesión.

Convertirse en un vaso limpio

A fin de orar con eficiencia y con poder debemos ser vasos limpios. Durante este momento, pídele al Espíritu Santo que te revele cualquier cosa que te impida tener una relación vital con Jesús y una vida de oración poderosa.

Dick Eastman en su libro *La hora que cambia el mundo* dice: «De acuerdo con las Escrituras, no podrá haber una vida de oración eficaz donde el pecado mantenga su garra en la vida del creyente. Por eso la confesión es crucial cuando oramos y debería de implementarse al principio de la oración»[1].

Michelle deseaba que su relación personal con Jesús fuera llena de vida y cercana; así que se tomó en serio esas cosas que le impedían experimentar todo lo que Dios deseaba que fuera. En sus palabras: «¿Cuál es la mejor manera de describir lo que me sucedió cuando escuché a un orador en un retiro? Me formulé preguntas: ¿Qué cosas muertas en mi andar con el Señor necesitan florecer de nuevo? ¿Y qué de mi sensibilidad al pecado? ¡Huy! Eso me traspasaba el corazón. La sangre de Jesús no limpia las excusas, sino que limpia el pecado confesado. Algunos interrogantes me hicieron reflexionar: ¿Me reconocen por mi generosidad? ¿Mi amabilidad? ¿Mi paciencia? ¿Mi perdón?

»Así fue que en mi tiempo de confesión privada, me senté en una roca en el soleado San Diego y rendí el control de mi vida. Renuncié a mi manera de hacer las cosas, mi confianza propia, mi falta de perdón, mi impaciencia y mi egoísmo. Confesé todo eso y Jesús levantó una pesada carga. Alcé el papel en el que había anotado mis pecados y encabecé la lista con las siguientes palabras: "Su sangre se derramó por todo esto".

»Me sentí nueva. Me sentí renovada y purificada como si me hubieran pasado por fuego. Jamás he llorado tanto, ni me he sentido tan bien. Lo había ansiado por mucho tiempo».

Remoción de escombros

Dios llamó a Nehemías para motivar, desafiar y guiar a los hijos de Israel a fin de que reconstruyeran las murallas de Jerusalén luego de que sus enemigos invadieran la ciudad y desmantelaran la muralla circundante. La tarea era monumental. Nehemías notó que la fuerza de los trabajadores se debilitaba, y había tantos escombros acumulados que no podían reconstruir la muralla (Nehemías 4:10).

¿De dónde eran los escombros? Los trozos de roca partida que una vez formaron la muralla alrededor de Jerusalén. Debían deshacerse de los escombros antes de reconstruir la muralla.

Al igual que Michelle, para que podamos crecer en nuestra relación con el Señor, debemos remover los escombros: el pecado que nos incapacita, que nos priva de la motivación de avanzar en nuestro andar con Cristo. El pecado interrumpe nuestra relación con Dios y bloquea nuestra comunión con Jesucristo.

Y cuando eso sucede, Satanás estalla de felicidad. Es el enemigo de nuestra alma y hace todo lo posible para separarnos del Amado y mantenernos en un estado en el que no oremos. El pecado también nos priva de un ministerio eficaz hacia nuestras familias y hacia los demás. Nos roba el poder y el gozo de Cristo. Los deshechos de nuestra vida nos mantienen alejados de la entrega total y a menudo nos hallamos secos, inflexibles, sin vida y a veces aletargados, indiferentes y quizá hasta un poco deprimidos. El pecado inconfesado trae vergüenza, degradación propia y una culpa prolongada (Salmo 32:3-4).

Libérate de la destrucción

Como hijos de Dios, nos liberamos de la destrucción del pecado por medio de Jesús. A Dios le costó la vida de su Hijo a fin de satisfacer su ira contra el pecado. Necesitamos recordar que como hijos de Dios, nuestra posición ante Él es santa. Él no ve mi pecado ni el tuyo; ve la sangre de Jesús que eliminó todo nuestro pecado y nos presentamos santos ante Él. Me encanta la promesa de 2 Corintios 5:21: «Porque Dios tomó a Cristo, que no tenía pecado, y arrojó sobre Él nuestros pecados. ¡Y luego, para colmo de maravilla, nos declaró justos; nos justificó!» (LBD).

Tu posición indica que siempre serás su hija. Recibiste una nueva naturaleza en el momento de tu experiencia de salvación (2 Corintios 5:17). Sin embargo, sigues teniendo tu antigua naturaleza. Y ambas luchan entre sí. Durante todo el día debes tomar decisiones: si vas a permitir que Cristo gobierne en tu corazón o si vas a gobernar tú. Por lo tanto, tu «condición» en determinado momento puede ser semejante a Cristo o semejante a ti.

Para que Cristo reine en tu vida, debes ocuparte del pecado de cada día. Ahora bien, eso no significa que te acuestes en la noche y pienses en lo sucedido durante el día por si pecaste. Significa que en el preciso instante en que el Espíritu Santo te convence de pecado, lo confiesas. Admites ante Dios que lo que hiciste o dijiste estaba mal, reconoces que pecaste.

Cuando el Espíritu Santo te convence de pecado, tienes que encargarte de él. La escritora Jennifer Kennedy Dean los llama «momentos de crucifixión». En estos momentos dolorosos, pero importantes, optas por reaccionar según el Espíritu. «Cuando decides echarles la culpa a los demás o sentirte martirizado por las circunstancias que escapan de tu control», prosigue Dean, «resucitas tu "yo". Por otro lado, si decides mirar el asunto desde fuera y aceptar la obra de crucifixión del Espíritu, poco a poco comienzas a permitir que muera la antigua naturaleza y surja la nueva»[2].

Junto con la confesión, tienes que arrepentirte también. Joy Dawson en su libro *Amistad íntima con Dios* lo explica muy bien: «Podemos confesar el pecado, derramar lágrimas de remordimiento y llorar por el desorden que hay en nuestro interior, pero quizá nunca nos arrepintamos en realidad de ello»[3].

El simple reconocimiento ante Dios de que pecaste, pero sin arrepentirte después de ese pecado, no producirá cambios duraderos. Pablo lo confirma en Hechos 26:20: «Que se arrepintieran y que se convirtieran a Dios, y que demostraran su arrepentimiento con sus buenas obras». El cambio se producirá si la confesión es sincera.

Cuando fracasamos en responder a la convicción del Espíritu Santo en cuanto a nuestro pecado, no podemos escuchar las peticiones que Dios desea poner en nuestro corazón. Muchas veces me he arrepentido de mi pecado para que mi corazón sea receptivo a escuchar la voz de Dios sobre cómo orar por mis hijos. Dios sabe cuándo necesitan oración inmediata. Quizá estén enfrentando la tentación o un daño físico, o que necesiten sabiduría en una situación difícil. Por eso debo ser un canal limpio para que el Espíritu Santo pueda mostrarme por quién debo orar y cómo hacerlo.

Me pregunto cuántas oportunidades de ser determinantes en la vida de las personas se pierden porque permanecemos en pecado y no nos ocupamos de él de inmediato. Y me pregunto también cuántas de nuestras oraciones no son escuchadas porque no hemos limpiado los escombros. Isaías 59:1-2 declara: «La mano del Señor no es corta para salvar, ni es sordo su oído para oír. Son las iniquidades de ustedes las que los separan de su Dios.

Son estos pecados los que lo llevan a ocultar su rostro para no escuchar».

Separados de Jesús

El pecado no solo nos mantiene alejados de una oración activa y fructífera, sino que también entorpece nuestra comunión con Jesús. Desde luego, he descubierto que eso es cierto.

Una mañana parecía que el día comenzaba bien. Había planificado que después que dejara a los chicos en la escuela, pasaría una buena parte de la mañana con el Señor. Esperaba con ilusión un tiempo dulce, deseando escuchar de mi Padre, así como entregarle mis cargas.

Sin embargo, ¿sabes lo que ocurrió? Esa misma mañana Rle y yo discutimos. Ni siquiera recuerdo cuál fue el motivo, pero me enojé con él y él conmigo. Cuando Rle y yo discrepamos, no nos lanzamos cosas ni elevamos la voz; solo que no hablamos. Así que el clima del hogar se vuelve helado. Las estalactitas cuelgan de todas partes. En esta mañana en particular, no sabía qué hacer. Deseaba pasar un momento con mi santo Padre, pero tenía estos gélidos sentimientos hacia Rle. Pensé que debía decirle algo, unas palabras corteses antes de que se fuera para el trabajo.

«Que tengas un buen día», espeté y me dirigí a mi habitación para tener un tiempo a solas con Jesús. Cuando abrí la Biblia, oré el Salmo 119:18: «Ábreme los ojos para que contemple las maravillas de tu ley».

El Padre trajo convicción a mi corazón:

—Fern, ¿qué haces?

—Ah, Padre, estoy ansiosa de que me reveles los tesoros de tu Palabra en esta mañana.

—¿Y qué pasa con Rle?

—¿Con Rle? —sabía hacia dónde apuntaba.

—Ya sabes, ese hombre que ahora no te gusta mucho. Ese hacia el cual tienes malos sentimientos.

Comencé a exponer ante el Señor mi punto de vista. He aprendido que uno puede decirle lo que piensa porque, de todas maneras, Él lo sabe.

—Señor, tú viste lo que pasó. Si no hubiera dicho lo que dijo, yo no hubiera reaccionado como reaccioné. Quizá me equivocara en uno por ciento, pero él está noventa y nueve por ciento equivocado.

—Fern —dijo el Señor—, tu salvación es algo separado de la de tu esposo y lo mismo es tu caminar. Lo que percibes como tu uno por ciento es lo que te hace falta para llamar a Rle y pedirle perdón.

¡Vaya si entraron en conflicto mis dos naturalezas! No quería llamar a Rle, pero sabía que la relación estaba rota. En 1 Samuel 15:22 dice que obedecer es mejor que el sacrificio. Dios deseaba mi obediencia.

Había intentado con la obediencia parcial. Después de todo, le había dicho unas palabras amables antes de que se fuera a trabajar. Sin embargo, Dios quería obediencia total. ¿Y eso qué significaba? En Mateo 5, Dios nos dice lo que deberíamos hacer. «Por lo tanto, si estás presentando tu ofrenda en el altar y allí recuerdas que tu hermano tiene algo contra ti, deja tu ofrenda allí delante del altar. Ve primero y reconcíliate con tu hermano; luego vuelve y presenta tu ofrenda. Si tu adversario te va a denunciar, llega a un acuerdo con él lo más pronto posible» (vv. 23-25).

¿Estaba dispuesta a morir al yo, a mi orgullo y ser obediente a la Palabra aunque no deseara hacerlo? ¿No es asombroso pensar que Dios está dispuesto a perder su comunión con nosotros debido a su deseo de ver a sus hijos amarse unos a otros? Dice que «si vivimos en la luz, así como él está en la luz, tenemos comunión unos con otros, y la sangre de su Hijo Jesucristo nos limpia de todo pecado» (1 Juan 1:7). Una buena prueba de si vivimos en la luz es fijarnos en cómo andamos con los demás.

Me senté allí pensando: *Cómo le puedo pedir a Rle que me perdone sin decirle: «¿Me perdonas?».* No se me ocurría nada. Eran palabras muy difíciles de pronunciar. Tuve que enfrentarme a mi orgullo. «Señor, ayúdame», clamé. «No puedo hacerlo, solo Jesús puede hacerlo. Deseo morir al yo, pero es muy difícil. Por el poder de tu Espíritu en mí, ayúdame a hacer lo bueno».

No por un sentimiento cariñoso y tierno, sino solo por obediencia, llamé a Rle. «Rle, ¿me perdonas por la mala actitud de esta mañana?» Ya me estaba sintiendo mejor. El orgullo ocupaba el asiento de atrás y conducía la humildad.

Rle me perdonó de inmediato y luego me pidió perdón. No pude evitar que el siguiente pensamiento acudiera a mi mente: *Ajá, ¿y por qué no me llamaste primero?* Me negué a considerar esa idea y solo me despedí: «Hasta luego, te quiero», y me liberé. Libre de la culpa. Mi ego recibió un golpe cuando reconocí mi pecado y me reconcilié con Rle. Estaba en la luz. Ahora el Espíritu Santo tenía la libertad de revelar la verdad de la Palabra a un corazón libre de escombros.

Libera a los demás

En Mateo 18:21-22, Jesús realiza una descripción escalofriante de lo que le sucede a quienes no perdonan. Pedro le pregunta al Señor cuántas veces debía perdonar a su hermano que ha pecado contra él. Pedro pensaba que era generoso al responder «hasta siete veces», pues eran cuatro veces más de las que aconsejaban los líderes religiosos de la época.

No puedo imaginarme lo pasmado que habrá quedado Pedro cuando Jesús le dijo: «No te digo hasta siete veces sino hasta setenta veces siete» (LBLA). En otras palabras: tantas veces que ni siquiera las puedas contar, sin límites, y tantas veces como sea necesario.

Entonces Jesús procedió a relatar una historia. Un rey amenazó con apresar a un siervo que le debía millones de dólares. El siervo cayó de rodillas ante el rey y rogó: «Tenme paciencia y te lo pagaré todo». El señor de ese siervo tuvo compasión, canceló la deuda y lo dejó marchar. Entonces el siervo salió y se encontró con otro siervo que le debía unos cuantos dólares. Lo tomó del cuello y le exigió: «¡Págame!». No tuvo en cuenta los ruegos de ese hombre y lo envió a prisión hasta que pagara toda su deuda[4].

Cuando el rey se enteró de esa tremenda injusticia, mandó a llamar al siervo inmisericorde a su presencia y le dijo: «Siervo malvado, cancelé toda tu deuda porque me rogaste. ¿No deberías tener la misma misericordia con tu compañero como yo la tuve contigo?».

Todos podríamos gritar un «Amén» en este punto, al estar de acuerdo con la justicia del rey. Después de todo, ¿cómo pudo este siervo hacer una cosa semejante, y más cuando a él mismo le perdonaron tanto?

No obstante, me pregunto si tú y yo no seremos culpables de la misma ofensa. ¿Qué decía Jesús? Se te perdonó una gran deuda. En la misericordia de Dios, todos tus pecados se pagaron en el Calvario. En realidad, no existe mayor deuda saldada que los pecados de toda la humanidad. ¡Qué perdón tan grandioso! Tú debes hacer lo mismo y tener misericordia con los demás aunque no la merezcan. David Daniels lo dice de esta manera: «Nuestro pecado es inmenso, incalculable. Los pecados de los demás en mi contra son minúsculos comparados con mi pecado contra Dios. Así que perdonar a mis deudores debe ser un derramamiento del perdón que ya he recibido del Señor»[5].

Ahora bien, echemos un vistazo a las consecuencias, según Mateo 18, si nos negamos a perdonar, a fin de limpiar los escombros de nuestro corazón. El rey «lo entregó [al siervo] a los carceleros para que lo torturaran hasta que pagara todo lo que debía» (v. 34). ¡Torturas! Este es un vocabulario bastante fuerte y bien duras las consecuencias. ¿Qué significa? El conferenciante Bill Gothard expresa: «Las torturas son las emociones destructivas como depresión, temor, preocupación y odio, y Dios las permite para que nos lleven al arrepentimiento con el fin de que aprendamos a perdonar»[6].

¿No es verdad? La persona que odias, o que no quieres perdonar, la que te ha herido tanto que consideras que la relación no puede restablecerse, es la persona en la que piensas todo el tiempo. Esa persona te controla. Repasas el incidente, toda esa espantosa escena, una y otra vez. Si no perdonas, tú mismo te pones en la sala de torturas de las emociones destructivas.

El salmista nos dice cuál es la consecuencia de rebelarse contra la Palabra de Dios. «Afligidos y encadenados, habitaban en las más densas tinieblas por haberse rebelado contra las palabras de Dios, por menospreciar los designios del Altísimo» (Salmo 107:10-11). ¡Nadie desea estar allí!

¿Y qué debemos hacer? El Salmo 107:13-14 expresa: «En su angustia clamaron al Señor, y él los salvó de su aflicción. Los sacó de las sombras tenebrosas y rompió en pedazos sus cadenas».

¿Tienes cadenas que necesitas romper? ¿A quién te has encadenado? Clama a Dios y reconoce ante Él tu espíritu no perdonador. Nombra el pecado. ¿Es amargura, odio, condenación? Dilo con palabras. Sácalo a la luz para que puedas ver el pecado como lo ve Dios. Luego clama por la sangre de Jesucristo. El perdón es por medio de la sangre, la que nos limpia y nos deja blancos como la nieve. Como lo expresa el antiguo himno: «¿Qué me puede dar perdón? Solo de Jesús la sangre. ¿Y un nuevo corazón? Solo de Jesús la sangre»[7].

Entonces, arrepiéntete del pecado y pídele a Dios que te llene de su Espíritu Santo. Dale gracias a Dios por perdonarte según la promesa de 1 Juan 1:9: «Si confesamos nuestros pecados, Dios, que es fiel y justo, nos los perdonará y nos limpiará de toda maldad».

Libera tu corazón del resentimiento

Una de las mayores luchas que tiene la mujer es no albergar enojo y resentimiento contra su esposo. En esa relación tan estrecha puede establecerse con rapidez un sentimiento de traición. Sin embargo, eso puede llevar a que una albergue resentimiento en su contra. He aprendido a orar de inmediato por Rle cuando siento alguna clase de resentimiento hacia él. Eso no ha sido sencillo para mí e hizo falta una decisión de mi parte, pero nos ha permitido estar muy cerca el uno del otro y también guarda mi corazón de albergar emociones pecaminosas.

Dentro del matrimonio, como en el ejemplo que mencioné con Rle, una de las tareas más difíciles es la de perdonar al cónyuge. Eso es cierto en particular cuando no observas cambios en la conducta ni en la actitud. El verdadero perdón hace que el incidente quede atrás y mantiene tu corazón limpio ante el Señor. Eso es amor con todas las letras. Es el amor del que habla 1 Corintios 13: «El amor es paciente, es bondadoso. El amor no es envidioso ni jactancioso ni orgulloso. No se comporta con rudeza, no es egoísta, no se enoja fácilmente, *no guarda rencor*» (vv. 4-5, énfasis añadido).

Sabes que debes amar a tu esposo y, sin embargo, descubres que lo soportas. Tal vez protestes: «¡Es sencillo para ti decir eso, pero no conoces a mi esposo! No tienes idea de lo que me toca vivir». El Señor sí lo sabe y te cuida; pero te dice que debes respetar a tu esposo, ser su compañera idónea, su apoyo, la que lo aliente. Desea liberarte del pecado, del cautiverio y de la culpa para que seas todas estas cosas para tu esposo. (Es evidente que en situaciones de abuso las circunstancias son diferentes y la acción para protegerte podría ser muy necesaria).

¿Cómo restauramos el amor por nuestros esposos? Los viejos hábitos del pensamiento pecaminoso deben sustituirse por nuevos. No conozco una mejor manera que usar la Palabra de Dios. Cada vez que te sientas tentada a tener pensamientos de crítica, desagradables o denigrantes, ora por tu esposo. Romanos 12:2 dice: «No se amolden al mundo actual, sino sean transformados mediante la renovación de su mente». La mejor manera de transformar la mente y de mantenerte alejada del pecado es llenar tus pensamientos con la Palabra memorizada. El salmista declara: «En mi corazón atesoro tus dichos para no pecar contra ti» (Salmo 119:11). Cuando pecamos, es contra Dios. David expresa esta verdad en el Salmo 51:4 cuando confiesa su adulterio con Betsabé:

«Contra ti [Dios] he pecado, solo contra ti, y he hecho lo que es malo ante tus ojos».

Recomiendo que memorices y ores Colosenses 1:9-11 a favor de tu esposo:

> Padre celestial, te pido que le hagas conocer a (el nombre de tu esposo) plenamente tu voluntad con toda sabiduría y comprensión espiritual, para que viva de manera digna, agradándote en todo. Te ruego que dé fruto en toda buena obra, crezca en el conocimiento de ti y sea forta-lecido en todo sentido con tu glorioso poder para que persevere con paciencia en toda situación.

Si haces esto de manera constante, tu corazón se transformará de impuro a un corazón como el de Dios. Comenzarás a ver a tu esposo como lo ve Dios y a amarlo como lo ama Dios. No te desanimes si esto no ocurre de la noche a la mañana. Dios en su fidelidad te transformará poco a poco si eres obediente.

Deseo animarte en cuanto a una cosa más referente a alguien que te haya herido en lo profundo. Pídele a Dios en este momento que te revele si tienes algún asunto sin resolver con alguien que te haya hecho daño. ¿Quién viene a tu mente? ¿Cómo te sientes cuando piensas en esa persona? Quizá se trate de alguien que difamara de ti y te acusara con falsedades. Tú eres la que está dolida, la que recibió la injusticia. Las palabras pueden causar heridas muy profundas y uno tal vez las recuerde por años. Entonces, ¿qué haces con esta herida?

Hace varios años me encontré en esa situación. No tenía idea de lo que iría a enfrentar cuando entré a una habitación para una cita. Una prominente líder cristiana a la que admiraba, apreciaba y respetaba lanzó una serie de falsas acusaciones, declaraciones sin fundamento, sobre mí. Me sentí desolada. Se me hizo un nudo en el estómago y mi corazón comenzó a palpitar con fuerza. ¿De dónde salió esta falsa información?

Sin saber qué decir, hice una breve oración: «Ayúdame, Padre. No sé qué hacer». Él trajo a mi mente el pasaje en el que Jesús jamás abrió la boca cuando lo acusaron (Marcos 14:61). Sentí que el Señor me pedía que no me defendiera, que no dijera ni una palabra, ni me justificara. Él se ocuparía de todo. Guardé silencio. Abandoné la reunión abatida, herida y lastimada, pero en paz por haber hecho lo que Dios me pidió que hiciera.

Al regresar a casa, conversé con el Señor acerca de la situación. No quería estar amargada, ni tampoco que Satanás pusiera un pie en mi vida y mi ministerio, ni en la de mi acusadora. Leí 1 Pedro 3:9: «No devuelvan mal por mal ni insulto por insulto; más bien, bendigan, porque para esto fueron llamados, para heredar una bendición».

Como acto de mi voluntad y por la gracia de Dios, caí de rodillas y bañada en lágrimas oré por la felicidad de mi acusadora, por su bienestar y por su protección. Al principio, tuve que orar por esto varias veces todos los días porque mi mente estaba consumida por el incidente. Oraba que Dios reivindicara mi nombre y que pronto se produjera una reconciliación. Al orar 1 Pedro 3:9 día tras día, la oración ya no fue solo un acto de obediencia. Comencé a percibir el fluir del amor a medida que oraba por la persona que profirió esas palabras. El perdón comenzó a pasar de mi mente a mi corazón. A decir verdad, deseaba la felicidad y el éxito de esa persona. Me di cuenta de que si me guardaba resentimiento, se afectarían su vida de oración y su ministerio. No deseaba eso. Deseaba que nos reconciliáramos. A partir de aquel día, mis oraciones reflejaban un amor sincero y un deseo de que esa persona gozara de felicidad, bienestar y protección.

Muchos años después, mi acusadora estaba «de casualidad» en un grupo pequeño de oración conmigo. Nos dijeron que teníamos que dedicar un tiempo a la confesión. Esta querida persona comenzó a pedirle a Dios que la perdonara por las acusaciones que hizo en mi contra. Aprovechó ese momento de confesión para abrir su corazón. Ninguno del grupo entendía de qué se trataba, solo yo. Después del tiempo de oración, nos abrazamos y ella me preguntó si podría perdonarla. Este era el momento por el que tanto había orado. Debido a mi obediencia de años atrás pude decirle: «Te quiero mucho. Te perdoné hace mucho tiempo».

Pecados recurrentes

Quizá algunas de ustedes piensen: *Pareciera que siempre cometo el mismo pecado una y otra vez. Puede que no sea la falta de perdón, pero tengo otros pecados que me acosan, pecados que no puedo dejar de cometer. Siempre debo confesar lo mismo.*

Está bien, sigue confesando una y otra vez. Tal vez abogues: «¿Pero no se cansa el Señor de que le pida perdón por la misma cosa?». No, la sangre de Jesús sigue limpiando. No importa cuál sea el pecado, viejo o nuevo, la sangre nunca deja de fluir y cubre los pecados presentes y futuros. No hay pecado que su preciosa sangre no limpie para restablecer la comunión con las demás personas y con Dios. Su perdón es total y está disponible siempre. Si dejas de ocuparte del pecado, ahí es cuando se amontonan los escombros en tu vida y tu corazón se vuelve frío e indiferente.

Si dejas de ocuparte del pecado, ahí es cuando se amontonan los escombros en tu vida y tu corazón se vuelve frío e indiferente.

¿Qué pecado recurrente quizá exista en tu vida? ¿Comer de más? ¿Salir de compras para aliviar el estrés o el aburrimiento? ¿El cotilleo? El pecado en sí tal vez parezca insignificante, pero a menudo manifiesta algo más profundo y serio. Recuerdo la vez en que hacía mis galletas preferidas: con trocitos de chocolate. Lucho por controlarme cuando horneo galletas. A decir verdad, el dominio propio es inexistente en ese momento. En esa oportunidad, estaba decidida a contenerme. Sin embargo, la masa pegajosa y las galletas tibias fueron demasiado... Sucumbí ante ellas como me había ocurrido tantas veces. Luego de comer hasta saciarme, volví a sentir la culpa. Había pecado. Acudí al Padre, desanimada por mi falla y oré:

—Padre, aquí estoy de nuevo para pedirte que me perdones por el pecado de la glotonería.

—¿De nuevo? ¿Qué quieres decir con "de nuevo"? —pensé que me decía.

—Ah, bueno... tú sabes... Ya he venido ante ti muchas veces para confesar lo mismo.

—No sé de qué hablas.

Como ves, lo que me decía era que cada vez que le pedía perdón, Él me perdonaba y olvidaba mi pecado (Hebreos 8:12). Y de la misma manera en que Él me perdona y no recuerda el pecado, espera que yo haga lo mismo con los demás.

¿Y qué de ti? ¿Necesitas recordar una y otra vez que Dios te perdona? ¿O tienes tal vez que aplicar esa verdad de su generoso perdón a alguien en tu vida que necesita que lo perdones una y otra vez?

Recuerda que no importa cuántas veces tengas que pedir perdón, Dios promete perdonarte. «Si confesamos nuestros pecados, Él es fiel y justo para perdonarnos los pecados y para limpiarnos de toda maldad» (1 Juan 1:9, LBLA).

Cada vez que confesamos, nos perdonan, como lo ilustra de manera tan bella esta historia de Ron Mehl.

Para un muchacho en crecimiento, nada le acelera tanto el pulso como la primera gran nevada invernal. Modelábamos ejércitos de muñecos de nieve, construíamos fuertes y murallas, armábamos violentas batallas con bolas de nieve, comíamos helados hechos con nieve y nos divertíamos en grande.

Con cientos de niños del vecindario haciendo ángeles de nieve, peleando al lanzar bolas, marcando canchas para todo tipo de juegos y partidos de fútbol en la nieve y, por lo general, pisoteando los jardines, las calles y los baldíos, solo en unas horas ya no existía ni una pequeña porción de nieve pura e inmaculada. Toda la nieve se había usado, ensuciado, paleado, botado o solidificado. El barrio bello e inmaculado que contemplábamos a través de las ventanas, en la mañana comenzó a verse como una zona de guerra ártica o como un montón de grava congelada.

Ya no era divertido jugar allí.

Después de buscar en vano nieve virgen en las horas del crepúsculo, no tuvimos otra opción que irnos a la cama cansados, y un poco tristes, por el desastre ocasionado al bello e impecable vecindario.

No obstante, Dios trabajaba de noche.

Cuando nos levantamos al día siguiente, presenciamos algo maravilloso. Más nieve, fresca y hermosa. ¡Montones y montones de ella! Un océano de blancura intacta.

Todos los fuertes, los túneles, los hombres de nieve rotos y los campos de batalla estaban cubiertos como si nunca hubieran existido.

Era un nuevo comienzo. El pasado era el pasado[8].

¡Qué ilustración visual de pecado confesado! Es evidente que podemos arruinar las cosas y hacer que nuestro corazón se vuelva sucio y horrible. Sin embargo, cuando confesamos nuestro pecado, Jesús nos cubre con su sangre como si fuera una nevada reciente. Tenemos un nuevo comienzo.

Perdónate

Por fe sabemos que Dios nos ha perdonado, pero a veces, debido a la fealdad del pecado y a las consecuencias con las que tenemos que vivir, nos cuesta trabajo perdonarnos a nosotros mismos. Analicemos en detalle 1 Juan 1:9. No dice nada de la naturaleza del pecado. No se menciona ningún pecado terrible que Dios no vaya a perdonar. Tampoco se habla del castigo a uno mismo.

No se nos dice que solo nos perdonarán si no sabíamos lo que hacíamos. El versículo solo dice: «Si confesamos [...] Él es fiel [...] para perdonarnos».

Si confiesas tu _____ (aborto, adulterio o cualquier cosa que pienses que es demasiado terrible como para recibir perdón), Él es fiel para perdonarte y limpiarte. No te desanimes si no te sientes perdonada. No debemos dejarnos llevar por nuestros sentimientos, sino por la promesa de Dios.

Una mujer que luchaba por perdonarse hizo una cruz y la clavó en el suelo de su patio. Cada vez que Satanás venía a acusarla, salía al patio, señalaba la cruz y decía: «Vete Satanás, porque me perdonaron». Salía convencida de que la habían perdonado, decidió creer la verdad de Dios en vez de las mentiras de Satanás. El alivio es mucho cuando se va la culpa. El salmista proclama: «Dichoso aquel a quien se le perdonan sus transgresiones, a quien se le borran sus pecados. Dichoso aquel a quien el Señor no toma en cuenta su maldad y en cuyo espíritu no hay engaño» (Salmo 32:1-2).

A fin de ayudarte a diferenciar el llamado de Dios a limpiar los escombros de tu vida y el llamado de Satanás a sentirte culpable, recuerda lo siguiente: La convicción proviene de Dios, la condenación viene de Satanás. Dios revela el error para *liberarnos* del pecado; Satanás nos acusa de continuo para atarnos a nuestro pecado.

Da el ejemplo

La confesión de pecados, limpieza de escombros, es un maravilloso legado que pasar a nuestros hijos. Si nos ven como orgullosas, obstinadas y que jamás admitimos un error, tendrán esa misma tendencia.

Recuerdo una vez en que mi hijo Travis y yo tuvimos un desacuerdo. Detesto que haya sentimientos encontrados por situaciones sin resolver entre nosotros. Así que dije: «Señor, ¿qué hago?». Y sentí en mi corazón que Dios me decía: «En realidad, no escuchaste a Travis. Sacaste conclusiones sin escuchar todos los hechos. Solo escuchaste lo que querías escuchar».

De modo que fui donde estaba Travis y le pedí que me perdonara por las cosas que me indicó el Espíritu Santo. Él me perdonó y hubo sanidad entre nosotros. Se restauró la comunión.

La confesión de pecados, limpieza de escombros, es un maravilloso legado que pasar a nuestros hijos. Si nos ven como orgullosas, obstinadas y que jamás admitimos un error, tendrán esa misma tendencia.

No pasó mucho tiempo antes de que tuviéramos un nuevo altercado. Una vez más le pregunté al Señor si debía pedirle perdón a Travis. El Señor guardó silencio. Esperé. Esa noche, en mi almohada, hallé una nota: «Mamá, puede que siempre no nos miremos a los ojos, pero siempre nos conectamos con el corazón. Te quiero, Travis».

Interpreté eso como la manera en que mi adolescente me decía: «¿Me perdonas?». El orgullo puede alzar con suma facilidad su horrible cabeza y robarnos la estrecha comunión que Dios desea que exista en nuestras familias.

En Madres Unidas para Orar pedimos que nuestros hijos reconozcan el pecado, lo confiesen y estén dispuestos a realizar una restitución, si es necesaria. Escucha la historia de esta madre sobre una oración respondida.

«Le pedí a Dios que hiciera que el corazón de mis hijos fuera sensible a la dirección y la corrección del Espíritu Santo, y oré según varios versículos del Salmo 32 que no hubiera engaño en su espíritu (v. 2), que enseguida confesaran su pecado en vez de ocultarlo (v. 5) y que Dios los instruyera y les mostrara el camino a seguir (v. 8).

»Al poco tiempo Frances, de cinco años de edad, se me acercó con la cara larga.

»—Mamá —anunció—, le mentí a mi maestra.

Oremos

1. **PIDE a Dios** que examine tu corazón y te revele las esferas en que no lo estés agradando. «Examíname, oh Dios, y sondea mi corazón; ponme a prueba y sondea mis pensamientos. Fíjate si voy por mal camino, y guíame por el camino eterno» (Salmo 139:23-24).

2. **ANOTA** tus pecados en una hoja de papel a medida que te los revela el Espíritu Santo. (Puedes dibujar una cruz sobre el papel que te permita recordar que todos los pecados que escribiste se perdonaron por medio de la sangre de Jesucristo que murió por todos tus pecados).

3. **CONFIESA y ARREPIÉNTETE** de tu pecado. «Confesar» significa reconocer ante Dios tu pecado. «Arrepentirte» significa apartarte de ese pecado y cambiar de actitud hacia él.

4. **COPIA** 1 Juan 1:9 sobre la lista de pecados como una manifestación de que crees la promesa divina respecto a tu pecado. «Si confesamos nuestros pecados, él es fiel y justo para perdonar nuestros pecados, y limpiarnos de toda maldad» (RV-60).

5. **AGRADECE** a Dios que te perdonara por medio de la muerte de Cristo en la cruz. Al dar las gracias expresas que, por fe, crees en su Palabra de que eres perdonada.

6. **ROMPE EN PEDAZOS** el papel, ¡y arrójalo a la basura! «Yo les perdonaré sus iniquidades, y nunca más me acordaré de sus pecados» (Hebreos 8:12).

Este ejercicio es para ayudarte a grabar en tu mente y tu corazón que el perdón es de una vez y para siempre. ¡Despídete de la culpa! Si confesaste todos los pecados reconocidos, cualquier sentido de culpa provendrá de Satanás y no de Dios. ¡Cree en la promesa de Dios y no en tus sentimientos!

Dejé de inmediato lo que estaba haciendo y escuché el relato.

»Justo antes de la Navidad, habían invitado a los alumnos a que trajeran monedas para comprar en una "tienda" dentro del aula donde había retazos, brillantina y otros elementos para decorar los árboles de Navidad que confeccionaron. Frances solo llevó un centavo, pero cuando se dio cuenta de lo difícil que sería escoger entre tantas maravillas que estaban en "liquidación", le dijo a la maestra que tenía dos centavos para gastar. Al parecer, nadie controló cuánto dinero tenía en realidad cada niño, por eso la mentira de Frances quedó sin descubrirse, ¡y la estuvo carcomiendo durante meses!

»—¿Qué te parece que deberías hacer? —le pregunté a mi pequeña.

»—Bueno, tengo que pedirle perdón a la maestra y llevarle el otro centavo —dijo en voz apenas audible.

»Hice una cita con la maestra que, ¡gracias a Dios!, comprendió el principio que intentaba inculcarle a mi hija y tomó en serio la confesión de Frances, le dio un gran abrazo y aceptó el centavo que le entregaba la pequeña. No pude contener una lágrima de emoción por la ternura del corazón de mi pequeña y me di cuenta que Dios había respondido a mis oraciones específicas del Salmo 32.

»Ese mismo día por la noche, Frances se me subió a la falda con el rostro radiante de felicidad. "Estoy tan contenta de haberle dicho a la maestra lo que hice", reconoció. "Ya no tengo que preocuparme más por eso"».

¿Hay algo que te atormenta? ¿Existe algo entre tú y Dios? ¿O entre tú y alguna otra persona? Si es así, saca fuera los escombros. Arrepiéntete. Cuanto más tiempo guardes dentro ese pecado, con más fuerza te tendrá atrapada. Dios anhela liberarte. Tu comunión con el Padre celestial bien vale el esfuerzo de deshacerte de los escombros. La victoria es tuya por medio de la sangre de Jesucristo. Él espera que te acerques con un corazón arrepentido para que llegues a experimentar la plenitud de su perdón y su amor. No te demores.

Amado Padre perdonador, por favor, haz que sea sensible a la convicción de pecado del Espíritu Santo. Que no intente ocultarlo ni justificarlo. Que sea pronta para confesarlo y arrepentirme con la confianza de que la sangre de Jesucristo me limpia de todo pecado. Ayúdame a perdonar como tú me perdonaste. Haz que sea un vaso limpio que preste atención a las peticiones que deseas poner en mi corazón. Que puedas contar conmigo para que ore por lo que está en tu corazón. Dame un corazón humilde que clame: «Examíname, oh Dios [...] y fíjate si voy por mal camino». Padre amado, que pueda limpiar todos los escombros para poder glorificarte. En el nombre de Jesús, amén.

6

Acción de gracias:
La expresión de un corazón agradecido

Cuando mi hijo Troy tenía unos tres años de edad, le gustaba dar gracias por los alimentos antes de cenar. Se levantaba de su silla, caminaba alrededor de la mesa, señalaba las cosas y oraba: «Dios, gracias por las papas, gracias por los frijoles, gracias por la leche, gracias por...». Todos esperábamos hasta que terminara de darle gracias al Señor antes de comenzar a comer los alimentos tibios.

Dios puso en el tierno corazón de Troy la importancia de ser agradecidos. Como lo expresan las Escrituras: «Den gracias a Dios en toda situación, porque esta es su voluntad para ustedes en Cristo Jesús» (1 Tesalonicenses 5:18). Desde la perspectiva de Troy, Dios proveyó los alimentos para el estómago hambriento de un muchachito.

Dar gracias es el tercer paso de nuestros «Cuatro pasos de la oración». Fluye con naturalidad de la alabanza a la confesión porque una vez que adoramos a nuestro Dios santo, deseamos asegurarnos que somos rectos a sus ojos. Luego de la confesión, nos sentimos agradecidos por la misericordia de Dios, la que Él extiende hacia nosotros al perdonarnos los pecados.

Durante el tiempo de acción de gracias expresamos el gozo y la gratitud por todo lo que Dios ha hecho por nosotros. Recuerda que la alabanza se centra en lo que *es* Dios y la gratitud en lo que *hizo* Dios. El teólogo O. Hallesby en su libro *Prayer* lo expresa de la siguiente manera: «Cuando damos gracias, glorificamos a Dios por lo que ha hecho por nosotros; y cuando adoramos o alabamos, glorificamos a Dios por lo que es»[1].

Jesús expresó la importancia de tener un corazón agradecido en la historia de los diez leprosos en Lucas 17. Los leprosos reconocieron a Jesús y clamaron a Él: «¡Jesús, Maestro, ten compasión de nosotros!».

¿Acaso escuchas la desesperación que hay en sus voces? Eran parias, marginados, condenados al ostracismo por sus familias y amigos, sufrían una enfermedad que cobraba sus miembros y a la larga la vida. ¿Acaso te imaginas la humillación de tener que gritar: «Impuro, impuro», para que nadie se les acercara?

Jesús escuchó su clamor y respondió: «Vayan a presentarse a los sacerdotes».

Mientras iban, la lepra desapareció. ¿Qué? ¿Desapareció? ¿No les quedaba ni una marca de esa enfermedad debilitante? Estaban sanos. ¿No pensarías acaso que correrían hasta donde estaba Jesús, lo abrazarían y le darían gracias una y otra vez?

Sin embargo, solo regresó uno. Este ex leproso se inclinó con el rostro a tierra a los pies de Jesús, agradecido por lo que había hecho.

Jesús preguntó: «¿Acaso no quedaron limpios los diez? [...] ¿Dónde están los otros nueve?».

Ruego a Dios que nos cuidemos de no ser como los otros nueve. Que jamás demos por sentada la amable respuesta de Dios a nuestras oraciones, grandes o pequeñas.

Cada semana en Madres Unidas para Orar, el dar gracias es un tiempo que apartamos y atesoramos para expresarle nuestro agradecimiento al Señor por su bondad al responder nuestras oraciones. Algunas semanas nos sorprendemos por la cantidad de oraciones contestadas. Muchas veces Dios nos responde en la misma semana en la que hemos orado; otras veces esperamos una respuesta por meses, incluso años. En ocasiones derramamos lágrimas de gozo, al agradecerle a Dios por respondernos una petición en particular.

Una de esas ocasiones fue cuando el grupo había estado orando por un despiadado director de escuela. Una mamá nos informó: «La respuesta de Dios fue rápida y sorprendente. Hizo que este hombre trabajara medio tiempo. Entonces trajeron a otro director también a medio tiempo y descubrimos que es cristiano. Él está encantado por nuestras oraciones a favor de la escuela. Mi corazón sonríe al pensar en la manera en que nos respondió el Señor. ¡Qué privilegio fue unirnos con las otras mamás y ofrecer nuestro agradecimiento a Aquel que respondió muchísimo más de lo que podíamos imaginar siquiera».

Un grupo oraba por varias semanas, pidiendo a Dios que protegiera a cada alumno en su escuela primaria. Una de las mujeres cuenta la historia: «Un día estaban los padres, abuelos y amigos haciendo fila a la entrada de la escuela para recoger a los niños cuando una abuela perdió el control de su automóvil y no pudo detenerlo. Cruzó la acera y dio contra un muro del aula de preescolar. Aunque el edificio quedó dañado, le dimos gracias a Dios por la manera en que respondió a nuestras oraciones por protección. Ni la abuela ni ninguno de los niños se hicieron daño».

Sharon reconoce: «Tener un corazón agradecido es un desafío constante en la "escuela" de mi vida de oración. Aun así, la práctica de la gratitud todas las semanas en mi grupo de oración durante los últimos trece años ha sido como una sesión de tutoría semanal».

He descubierto que me ayuda llevar un diario de las oraciones contestadas. Tomarme el tiempo para escribir la respuesta me ayuda a ser consciente de la manera en que Dios obró por los que he orado. Él desea que recordemos su fidelidad y que seamos agradecidos.

Piedras de recordación

Cuando los hijos de Israel cruzaron el río Jordán, Dios les enseñó que recordar es una parte importante de la gratitud.

Ahora bien, las aguas del Jordán se desbordan en el tiempo de la cosecha. A pesar de eso, tan pronto como los pies de los sacerdotes que portaban el arca tocaron las aguas, estas dejaron de fluir [...] Por su parte, los sacerdotes que portaban el arca del pacto del SEÑOR permanecieron de pie en terreno seco, en medio del Jordán, mientras todo el pueblo de Israel terminaba de cruzar el río por el cauce totalmente seco. Cuando todo el pueblo terminó de cruzar el río Jordán, el SEÑOR le dijo a Josué: «Elijan a un hombre de cada una de las doce tribus de Israel, y ordénenles que tomen doce piedras del cauce, exactamente del lugar donde los sacerdotes permanecieron de pie. Díganles que las coloquen en el lugar donde hoy pasarán la noche» (Josué 3:15—4:3).

¿Por qué quiso Dios que construyeran un altar de piedra?

«En el futuro, cuando sus hijos les pregunten: "¿Por qué están estas piedras aquí?", ustedes les responderán: "Porque el pueblo de Israel cruzó el río Jordán en seco". El Señor, Dios de ustedes, hizo lo mismo que había hecho con el Mar Rojo cuando lo mantuvo seco hasta que todos nosotros cruzamos. Esto sucedió para que todas las naciones de la tierra supieran que el Señor es poderoso, y para que ustedes aprendieran a temerlo para siempre» (Josué 4:21-24).

¡Qué privilegio tenemos de pasarles a nuestros hijos y nietos las «piedras de recordación»! Llevar un diario nos ayudará a hacer eso, a medida que registramos las respuestas de las oraciones.

De tanto en tanto, saco del estante mi viejo diario de oraciones, y mientras leo las respuestas, vuelvo a ser agradecida. En los momentos en que no vemos respuesta a nuestras oraciones, podemos hallar consuelo y aliento al releer ese diario y repasar todas las respuestas anteriores. Me encanta que aun en el cielo haya un «libro de memorias de aquellos que temen al SEÑOR y honran su nombre» (Malaquías 3:16).

Agradecidas a tiempo y fuera de tiempo

No solo debemos agradecer a Dios cuando nuestras oraciones reciben respuesta, cuando el cielo es azul y la vida es color de rosa, sino también cuando no vemos respuesta a nuestras oraciones. ¿Por qué? Porque Dios es bueno.

El salmista proclama: «Den gracias al SEÑOR, porque él es bueno; su gran amor perdura para siempre» (Salmo 136:1). La bondad de Dios es desde siempre y para siempre. Ayer fue bueno, hoy es bueno y mañana será bueno. Jamás llegará el día en que diga: «Oye, ya sabes, hoy estoy malhumorado. Mejor que nadie se me cruce en el camino, ¡o ya verá!». Todo lo que dice es bueno y todo lo que hace es bueno. Si creemos eso en realidad, la gratitud fluirá más allá de las circunstancias, sean buenas o malas.

¿Tienes salud? Dios es bueno.

¿Estás enferma? Dios es bueno.

¿Eres soltera? Dios es bueno.

¿Estás casada? Dios es bueno.

¿Tienes seguridad financiera? Dios es bueno.

¿Tienes problemas económicos? Dios es bueno.

¿Viven todos tus familiares? Dios es bueno.

¿Perdiste algún familiar? Dios es bueno.

¿Tienes hijos? Dios es bueno.

¿No puedes tener hijos? Dios es bueno.

Darle gracias a Dios por su bondad en todo es darle todo el honor. El Salmo 50:23 dice: «Quien me ofrece su gratitud, me honra».

A veces es difícil dar gracias. Mi amiga perdió su esposo de repente, sin tiempo para una adecuada despedida. También enfrentaba dificultades económicas, obligándola no solo a lidiar con las emociones por la pérdida de su cónyuge, sino también el trauma adicional de la posible pérdida de su casa. En medio de su dolor y tristeza, dio gracias aun cuando no comprendía por qué debía sufrir estas pérdidas. Confiaba en lo que dice Romanos 8:28 de que Dios dispone todas las cosas para el bien de quienes lo aman. Su amoroso Padre celestial le había prometido darle la fe y el valor necesarios.

La acción de gracias no tiene que originarse de nuestros sentimientos.

La acción de gracias no tiene que originarse de nuestros sentimientos. Es por fe que tomamos la decisión de darle gracias a Dios. Eso es lo que Él nos ha ordenado hacer. Y Dios nunca nos da una orden que no sea para nuestro beneficio, ni nunca nos dará una orden para la que no nos vaya a proveer la fuerza y el poder para cumplirla. Cuando decidimos ser agradecidos, daremos muestras de la confianza en el plan divino. Y siempre nos enfrentamos a una decisión: ¿Daremos o no daremos gracias por este incidente?

Un día estaba retrasada y tenía que asistir a una reunión muy importante. Siempre trato de ser puntual; llegar tarde es una manía. Cerré la puerta, subí al automóvil, puse la llave de contacto, encendí el motor y noté que el tanque de la gasolina estaba... sí, vacío. Mi mente visualizó la última persona que usó el auto... y no era yo.

¿Daría gracias por eso? Hubiera preferido hacerlo porque algo destructivo se alzó como réplica. Reaccioné mal con el causante y le dije cómo me sentía. ¿Llenó eso el tanque de gasolina? ¿Me hizo sentir mejor? No, sino que entorpeció mi relación con la persona, con Dios y con mi bienestar emocional.

Luego ocurrió el incidente del piano. Cuando Rle y yo éramos recién casados, Dios nos bendijo con una casa amoblada que alquilamos. Por eso pudimos comprarnos un piano. Con cada mudanza, el piano ocupaba su lugar en distintas salas y soportaba el uso y abuso de los niños, de los amigos y de las clases de piano.

Para cuando nuestros hijos eran adultos, me asombraba ver que el piano todavía estuviera en buena forma. Entonces, un día mientras desempolvaba, vi un vaso con agua encima del bello acabado de la madera. Se me fue el alma al suelo. Levanté el vaso y, tal como lo imaginaba, vi la mancha del agua.

Esta vez reaccioné dando gracias. Le entregué *mi* piano a su verdadero Propietario. Y cubrí la marca de agua con una foto de la familia.

Los beneficios de dar las gracias

Aprendí que uno de los beneficios de ser agradecidos es experimentar el descanso en Dios. Podemos confiar en su corazón aunque no lo comprendamos.

En su libro *El poder de la alabanza*, Merlin Carothers dice:

> No hay nada (ni circunstancia, ni problema ni prueba), que pueda tocarme sin que pase por Dios y por Cristo antes de llegar a mí. Si ha llegado tan lejos, es con algún gran propósito, el que quizá no comprenda en ese momento. Sin embargo, cuando me niego a dejarme llevar por el pánico, cuando elevo la vista hacia Él y lo acepto como proveniente del trono de Dios para algún gran propósito de bendición para mi corazón, ninguna tristeza me molesta, ni hay prueba que me desarme, ni circunstancia que me inquiete, ¡pues descansaré en el gozo de lo que es mi Señor! Ese es el descanso de la victoria[2].

Otro beneficio de dar gracias es que cambia nuestra actitud. La gratitud echa fuera la depresión, el cinismo, el temor, la autocompasión y la degradación propia. Comienzas a ver la situación desde una perspectiva distinta: la de Dios. Eso trae la luz de la presencia divina a la situación.

El esposo de mi coautora cayó enfermo de gravedad mientras trabajábamos juntas en este libro. Loch estuvo en el hospital cincuenta días y soportó cuatro operaciones, tres en el intervalo de once días. Un par de veces, estuvo al borde de la muerte. Sin embargo, debido a que Janet mantuvo una actitud de gratitud, halló razones para estar agradecida en vez de deprimirse o sentirse llena de autocompasión por cada día difícil. Podía ser que una enfermera entrara al cuarto de Loch y lo mirara para descubrir que atravesaba un momento de dolor tan intenso que ni siquiera podía oprimir el botón de llamada. O que un médico intentara otra manera de encarar el tratamiento y se produjera un cambio favorable.

La gratitud echa fuera la depresión, el cinismo, el temor, la autocompasión y la degradación propia. Comienzas a ver la situación desde una perspectiva distinta: la de Dios.

Cierto día el hermano de Loch, que es microbiólogo, sugirió que llamáramos a un especialista en infecciones para que se ocupara de la infección mortal que tenía paralizados por completo a los médicos y cirujanos. Solo existía un especialista de ese tipo en todo el condado, pero de repente apareció un lugar en su agenda a fin de ocuparse del caso de Loch. Es probable que eso le salvara la vida.

Sí, la situación era espantosa, y Janet estaba contra la pared en el aspecto físico, emocional y espiritual. Sin embargo, como daba gracias, podía ver la obra de Dios cada día, al saber que Él estaba allí y al tanto.

Tambaleo o descanso

¿Cuáles son las consecuencias si no damos gracias? ¡Frustración! Podemos optar por seguir nuestra obra frustrante o descansar en la obra consumada de Dios. El deseo de Dios es hacernos conforme a la imagen de su Hijo, transformarnos de gloria en gloria y hacernos más semejantes a Cristo.

Cuando la vida te desafía, amenazando a tu familia o tu bienestar, ¿encuentras dentro de ti la acción de gracias? ¿O acaso te ves tan atrapada por las circunstancias que no eres libre para volverte a Dios, dándole gracias por su asombrosa capacidad de obrar a tu favor, tanto en el mundo como en nuestros corazones?

Me encanta cómo Ron Mehl dice en su libro *Dios también trabaja de noche* que todas las cosas obran para bien (Romanos 8:28) siempre y cuando sepas para qué es esa obra. Romanos 8:29 tiene la respuesta: «Porque a los que Dios conoció de antemano, también los predestinó a ser transformados según la imagen de su Hijo, para que él sea el primogénito entre muchos hermanos». Mehl señala: «Él está concentrando su poder y su voluntad con un propósito y es el de hacernos a ti y a mí, sus hijos adoptivos, conformes a la imagen del Señor Jesús [...] Si sabes que Él va a usar esto y aquello o lo de más allá para hacerte como el Salvador, puedes experimentar el consuelo de que nada en tu vida es en vano: ni tu esfuerzo, ni tu dolor, ni los momentos de ansiedad, ni las lágrimas derramadas en algún vertedero cósmico»[3].

Otra consecuencia de un espíritu malagradecido es el entorpecimiento de nuestras oraciones. Un espíritu quejoso no puede coincidir con el Espíritu de Cristo. A veces creo que es más sencillo dar gracias por cosas catastróficas que por las cotidianas.

¿Cómo me las arreglo para mantener la perspectiva de Dios cuando debo preparar de ocho a diez sándwiches cada día, además de los otros comestibles que debo colocar en esas bolsas marrones? Algunas mañanas, mientras criaba a mis hijos, sencillamente no tenía ganas de preparar todos esos almuerzos.

Confieso que no me *sentía* agradecida, pero como un acto de obediencia, decidí poner en práctica el principio de dar gracias. Algo sucedió en mi espíritu cuando comencé a dar gracias. Le daba gracias a Dios porque tenía la posibilidad física de hacerlo, tenía hijos para preparárselos y podía proveerles almuerzos saludables. A medida que daba gracias, el Espíritu Santo me traía a la mente que podía orar por cada uno de mis hijos mientras preparaba sus almuerzos. Le pedí a Dios que cuando comieran su almuerzo supieran cuánto los amo y que lograran saber que no solo de pan vive el hombre, sino de toda palabra que sale de la boca de Dios. Me maravillaban los pensamientos que Dios ponía en mi mente para orar mientras realizaba la cotidiana tarea de preparar sándwiches. Hacía algo que tal vez para el mundo fuera insignificante, pero a la luz de la eternidad, marcaba una diferencia en la vida de mis hijos.

A través del poder de la oración, del simple acto de dar gracias, Dios transformó una tarea de este mundo en un acto de importancia eterna. Él puede hacer lo mismo en tu vida.

Marika, una mamá de Jerusalén, caminaba con Amir, su hijo de diecisiete años de edad, hasta la escuela todos los martes por la mañana a fin de reunirse con otras mamás a orar por la escuela. La primera reunión de oración después de las vacaciones de verano se programó para una radiante mañana. Mientras Marika y su hijo caminaban, concentrados en una conversación acerca de su futuro, «¡los dos saltamos debido a una enorme explosión!», relató. «Nos quedamos mirando, mudos, hacia el preciso lugar en el que, cuarenta segundos antes, estalló la bomba».

Amir, en estado de choque, permanecía mirando sin ver. Marika rompió en llanto. «Eran lágrimas de enojo y frustración por lo que podía haber hecho tal cosa, por lo que nos podría haber pasado, pero también lágrimas de asombro por lo que no nos había pasado», nos dijo.

Atravesaron el humo, la confusión y los restos de autos destruidos. La gente gritaba y las sirenas sonaban con gran estruendo. Esta mamá y su hijo se sentaron en los escalones de la escuela. Cuando Marika abrazó a su hijo, se dio cuenta de que el futuro del muchacho, del que conversaron con tanta intensidad, estuvo a punto de hacerse añicos. «Ambos les dimos gracias al Señor por su protección y oramos también pidiendo fortaleza para enfrentar ese día».

Más tarde, las madres se reunieron a orar. Ese día cambiaron lo planeado porque oraron por los heridos y la familia del terrorista suicida.

Oremos

Las oraciones de gratitud son expresiones de aprecio y agradecimiento por las respuestas de Dios. Durante este momento no debes pedir nada, sino solo agradecer. Recuerda, la alabanza se concentra en lo que *es* Dios y la gratitud en lo que *hizo* Dios.

Medita en estas preguntas y escribe tu acción de gracias:

¿Cuáles fueron las circunstancias de tu salvación? Dale gracias a Dios por cada detalle que puso en su lugar que hizo que tú llegaras a Él.

¿De qué maneras has sentido el amor de Dios? Dale gracias.

Piensa en la semana o el mes pasado. ¿De qué maneras te ha mostrado Dios su fidelidad (ayudándote, dándote fuerzas o sabiduría)? Dale gracias.

¿Te encuentras en medio de una prueba? Dale gracias y experimenta su descanso.

«Por años, todas las mañanas», dice Marika, «oramos que el Señor nos cuide al salir y al entrar. Dios es nuestro refugio y nuestra fortaleza. Amir estuvo en estado de choque por varios días, pero al final regresó a la realidad. Estamos agradecidos».

Cuando decidimos dar gracias aun cuando las circunstancias sean poco halagüeñas, 2 Crónicas dice que la gloria del Señor llenará el templo (7:1). Nosotros somos el templo del Espíritu Santo, y cuando damos gracias, la gloria del Señor se ve en nosotros.

Y, ya sabes, un espíritu desagradecido puede aparecer en el momento menos esperado. Una madre invitó a algunas personas a cenar, y una vez que se sentaron todos alrededor de la mesa, la mamá le sugirió a su pequeña hija que diera gracias. La niña respondió: «Ah, no sé qué decir». La madre respondió: «Solo di lo que le escuchas decir a mami». La niña inclinó su cabeza. «Querido Dios, ¿a santo de qué invité a toda esta gente a cenar?»

¿Acaso no te preguntas cuál sería el lenguaje corporal de la madre mientras preparaba la cena? ¿Qué pudo haber dicho que la niña escuchó? Saber que hay pequeñas orejas por todas partes que escuchan lo que decimos puede llegar a ser una maravillosa, o temible, manera de cuidarnos.

Concuerdo con mi amiga Pam cuando afirma: «Creo que mi fe se "perfecciona" cuando decido dar gracias y reconozco que esto no es una petición, sino una orden a obedecer: "Den gracias a Dios en toda situación, porque esa es su voluntad para ustedes en Cristo Jesús"» (1 Tesalonicenses 5:18).

Dar gracias en todo contra dar gracias por todo

Sin embargo, podrías decir, si debemos dar gracias en todas las cosas, ¿no significa eso entonces que demos gracias por el mal? Creo que la palabra clave es «en» y no «por». El Señor nos dice que demos gracias «en» todas las cosas y no «por» todas las cosas. No agradecemos la maldad, los asesinatos, las violaciones, las enfermedades, las dolencias y el divorcio. Dios es mucho mayor que el pecado o las circunstancias. Es capaz de dominar el mal y traer victoria en medio de cualquier situación.

Dar gracias me ayuda a rendirme a Dios. Jamás deberíamos permitir que las circunstancias desalienten nuestra gratitud, pues Él es mayor que cualquier situación.

¿Qué me dices de esas interrupciones inesperadas que pueden irritarnos con tanta facilidad? De algún modo, olvidamos que al comienzo del día oramos: «Amado Padre, pongo este día en tus manos y me entrego a ti». Entonces planificamos el día y, como lo esperado, se interrumpen nuestros planes. ¿Qué hacemos con la interrupción?

Recuerdo uno de esos días cuando parecía que nunca terminaría mi lista de quehaceres. Mientras mis hijos partían rumbo a la escuela, Trisha, que en ese tiempo estaba en la secundaria, se quejó de dolor de oídos. *En realidad, no tengo tiempo para un dolor de oídos, menos en un día como este*, pensé. *¡De seguro que esto no estaba en mi lista de quehaceres!*

La práctica de dar gracias salió a la superficie y se esfumó mi ansiedad por terminar las cosas. «De acuerdo, Señor, ya sabes todo lo que tengo pendiente. No me imagino cómo me las voy a arreglar, pero voy a darte gracias por esta interrupción en "mi" agenda». Mientras la paz inundaba mi corazón, me ocupé de una pequeña enferma que necesitaba el consuelo y el amor de su madre, asegurándole que era mi prioridad más importante. Es evidente que Trisha no necesitaba una mamá que la hiciera sentirse culpable como si fuera un fastidio.

Jamás olvidaré el tierno momento que pasamos con Trisha ese día. Todavía puedo vernos sentadas en la sala de espera del médico, con su cabeza apoyada en mi falda, mientras le acaricio el cabello y oro por ella en silencio. Jesús estaba allí.

Cuando somos obedientes y agradecidas, el Señor nos enviará algo dulce y precioso que no está en nuestra lista de quehaceres.

Recuerdo a una sabia madre, Jane, que me contó la historia de su hijo que fue a verla luego de unos meses de matrimonio. Comenzó a quejarse de las cosas que lo preocupaban acerca de su esposa, Sandra. Cuando acabó de criticarla, Jane le enumeró a su hijo todas las cosas por las que estaba agradecida respecto de Sandra. Jane mencionó incidentes específicos y cualidades de su carácter que le encantaban de la joven y cuán agradecida estaba de que Sandra fuera su esposa. Pasaron unos meses, y el hijo mencionó que la respuesta de su mamá acerca de Sandra le mostró lo que su madre pensaba en verdad de ella. El corazón agradecido de Jane hacia Sandra lo hicieron recordar las razones por las que se había casado con ella. Regresó a su hogar agradecido a Dios por la esposa que el Señor le había dado.

Cuando tenemos la intención de ser agradecidos, eso produce en nosotros un espíritu gentil y misericordioso. Me encanta la película *Lo que el viento se llevó* y Melanie es mi personaje preferido. Vio lo mejor en Scarlett aunque era una joven maliciosa, falsa, egoísta y despiadada. Melanie siempre era gentil y amable.

Tengo una amiga, Judy, que vive en Canadá y es como Melanie. Un día le dije que para mí ella era un ángel sin saberlo. No recuerdo haberla escuchado decir alguna palabra negativa de alguien. El espíritu de gratitud en todas las cosas hace que Judy sea bella. Está llena del Espíritu Santo. Pablo dice: «Sed llenos del Espíritu [...] dando siempre gracias por todo al Dios y Padre» (Efesios 5:18, 20, RV-60). Son cosas que van de la mano. El fruto del Espíritu es amor, alegría, paz, paciencia, amabilidad, bondad, fidelidad, humildad y dominio propio. La fragancia de una vida agradecida les muestra a Jesús a todas las personas con las que nos encontramos. Una persona que opta por dar gracias no es gruñona, ni quejosa; es «agradecida».

Deseo ser una persona que reconozca que todo don perfecto viene de Dios y deseo escribirle siempre una nota de agradecimiento en forma de oración. ¿Y tú?

Amado y soberano Señor, por favor, ayúdame a expresar mi agradecimiento a ti mediante la oración. Que nunca deje de ser agradecida por tu abundante provisión. Ayúdame a acudir a ti con gratitud aun cuando enfrente pruebas y sufrimientos. Te pido que mi confianza descanse en lo que eres tú, sabiendo que todas estas cosas obrarán para bien, y que tú sabes a la perfección cómo conformarme a la imagen de tu Hijo. Señor, enséñame a dar gracias en todas las cosas. En el nombre de Jesús, amén.

7

Intercesión: Ponte en la brecha

«Cuando consideraba las palabras garabateadas de un lado a otro en el monitor de mi computadora, me sentí aturdida al no darle crédito», me contó Susan. «Eran amenazas contra nuestro instituto. Según el correo electrónico, el cual lo distribuyó el director, un maestro encontró un mensaje escrito sobre un escritorio advirtiendo que el martes siguiente: "morirá el instituto Westmont"».

Al principio Susan se quedó pasmada. La violencia en las escuelas sucedía en lugares lejanos, y afectaba a maestros y niños que no conocía. Sin embargo, esta amenaza la dirigían a la escuela donde asistían *sus* hijos y sucedería, según la nota, en solo cuatro días.

«El mensaje del director nos informaba que se tomarían medidas de seguridad extra», continuó Susan, «incluyendo la presencia de policías de civil durante toda la semana». La noche anterior al posible ataque, los padres cristianos preocupados implementaron sus propias medidas de seguridad, orando juntos para que lograran capturar al posible perpetrador. «Presentamos a nuestros hijos y a la escuela ante el Señor y le pedimos a Dios que desbaratara los planes de Satanás», contó Susan.

En la mañana del martes, los padres nos enteramos que los alumnos que hicieron la amenaza los descubrieron y los arrestaron el lunes por la noche, a la misma hora que oraba el grupo.

¿Qué si Susan y los demás no hubiesen intercedido a favor de la escuela esa noche? ¿Qué si no hubiesen puesto resistencia a los ardides del diablo?

Esos cristianos estaban listos para orar. Estaban preparados para cumplir el cuarto paso en la secuencia de la oración: la intercesión. Antes de interceder, dedicaron un momento a la adoración para concentrarse en su Dios todopoderoso, soberano y fiel. Lo alabaron por lo que es. Después confesaron, lo cual los colocó en una posición de humildad, en busca de que Dios les revelara cualquier pecado que pudiera interrumpir su confianza para pedir durante la intercesión. Con gozo le dieron gracias a Dios por las respuestas a las oraciones que aumentaban su fe. En ese momento, sus corazones estaban preparados para pedir en oración con fe por la seguridad de la escuela y los hijos. Dios respondió.

¿Qué es un intercesor? Solo alguien que ora por otro, alguien que suplica ante el trono de Dios a favor de otro.

Abraham fue un intercesor ferviente. Intercedió a favor de su sobrino Lot, rogando a Dios que salvara a los justos (incluso a su sobrino) en Sodoma y Gomorra. Abraham le pidió a Dios que evitara la destrucción de la ciudad si hallaba a cincuenta justos allí. La osada intercesión de Abraham continuó al pedirle al Señor que no destruyera la ciudad si había cuarenta y cinco justos. Dios accedió. Luego Abraham pidió por cuarenta, luego por treinta, veinte y al final diez. Cada vez Dios respondió a Abraham que sí. No obstante, sabemos que en la ciudad no vivían siquiera diez personas justas. Aun así Dios salvó a Lot y a su familia (Génesis 18-19).

Qué maravilloso ejemplo nos da Abraham, el intercesor, de acudir ante Dios para obtener misericordia por alguien en necesidad. Cuando vamos a nuestro Dios grande y omnipotente en oración a favor de otros, Dios escucha y responde nuestras oraciones si lo hacemos de acuerdo a su Palabra y su voluntad. Dios nos ha dado la responsabilidad de estar en la brecha por otros. La frase ponerse «en la brecha» aparece en Ezequiel 22:30 (RV-60): «Y busqué entre ellos hombre que hiciese vallado y que se pusiese en la brecha delante de mí, a favor de la tierra, para que yo no la destruyese; y no lo hallé». Qué versículo tan aleccionador. Dios está hablando y dice que Él habría salvado a toda la nación de Israel si tan solo una persona hubiera clamado misericordia a favor de la nación. Una voz podría haber traído la liberación de Dios. Santiago 4:2 adquiere relevancia en este contexto cuando dice que no recibimos porque no pedimos.

El escritor F.B. Meyers escribe: «La gran tragedia de la vida no es la oración sin respuesta, sino la que no se ofrece».

Intercesión con autoridad

Una intercesora no es solo alguien que se pone en la brecha, sino también alguien que toma en serio su autoridad (su posición) en Cristo. Ora con confianza porque sabe que es acreedora por la sangre de Jesús y sabe también que orar en el nombre de Él atravesará la oscuridad y derribará las fortalezas. Recuerda quién es y está segura de su identidad: redimida, salva por gracia y firme de manera diligente entre el necesitado y su Dios todopoderoso.

En el libro *Beyond the Veil*, Alice Smith lo describe de esta manera: «La palabra *interceder* es como la palabra «interceptar»; es interceptar algo que debes detener o interrumpir el progreso o curso de acción. El intercesor intercepta los planes del enemigo y produce un intercambio espiritual [...] con la intención de reemplazar una cosa por otra»[1].

Eso fue lo que sucedió cuando los padres oraron contra las artimañas del diablo por su escuela amenazada. Dios nos llama a participar mediante la oración en el cumplimiento de sus planes divinos, no de los nuestros. El Espíritu Santo pondrá en nuestro corazón las cosas que están en el corazón de Dios. Cuando pedimos de acuerdo a su divina voluntad, esta se cumple. Podemos esperar la respuesta porque nuestra oración cumple con el propósito de Dios.

Cuando descansamos en la verdad de que se trata de Dios y no de nosotros, nuestras oraciones adquieren frescura y orar no es tan trabajoso. A veces nos cansamos porque intentamos convencer a Dios, en vez de relajarnos en su divina voluntad. Cuando

Jesús dijo: «Pidan, y se les dará» (Mateo 7:7), nos indicaba que lleváramos nuestra necesidad ante el Padre, la dejáramos allí y confiáramos en que según su santo plan recibiría la respuesta perfecta. No tenemos que coaccionar, rogar ni presentar los motivos por los que pensamos que la petición se debería responder de cierta manera en particular. Eso es agotador desde el punto de vista mental, físico y espiritual. Podemos dejar la necesidad, la carga y la preocupación en Aquel que dice que cuando pedimos, cambia la dirección de la batalla. Sí, aun cuando no podamos verlo.

Jennifer Kennedy Dean lo expresa de esta manera:

> Pedir es solo llevar la necesidad, no la respuesta, al Padre. «Ya no tienen vino» (Juan 2:3). «Señor, tu amigo querido está enfermo» (Juan 11:3). «Hágase tu voluntad en la tierra como en el cielo» (Mateo 6:10). «¡Padre, glorifica tu nombre!» (Juan 12:28). Cuando uno se da cuenta de lo sencillo que es presentar tus peticiones al Padre, puedes dedicar tus energías a adorarlo, amarlo, escucharlo y a permitir que Él recree el panorama interno de tu alma[2].

Nuestra parte dentro de la oración intercesora es orar en el Espíritu (Efesios 6:18). Orar en el Espíritu significa que Jesús es el que controla nuestra vida y no el yo. Cuando se confiesa todo pecado conocido, el Espíritu Santo pone en nuestro corazón las oraciones que provienen del corazón del Padre. Oraremos como lo haría Jesús. Cuando oramos de acuerdo a lo que nos inspira el Espíritu Santo, experimentamos su paz.

Cuando descansamos en la verdad de que se trata de Dios y no de nosotros, nuestras oraciones adquieren frescura y orar no es tan trabajoso.

El escritor Dick Eastman afirma que no hay mayor llamado que el del intercesor. «Es el método de Dios para involucrar a sus seguidores de manera total en su plan divino. No existe otra forma de que el creyente llegue a participar de manera tan plena en la obra de Dios como en la oración intercesora»[3]. No existe ministerio mayor, ni tarea más importante que orar por los demás.

Andrew Murray, en su libro *Prayer: A 31-Day Plan to Enrich Your Prayer Life*, dice:

> Dios gobierna el mundo y a su iglesia por medio de las oraciones de su pueblo. Que Dios extendiera su reino de semejante manera dependiendo de la fidelidad de su pueblo que ora es un misterio extraordinario y también una certeza absoluta. Dios llama a intercesores: en su gracia, Él ha hecho que su obrar dependiera de ellos; Él espera en ellos [...] El poder del cielo está a su disposición. La gracia y el poder de Dios aguardan por las peticiones del hombre[4].

Podemos ponernos en la brecha por un hijo caprichoso, entre tu hijo y un bravucón, por tu escuela cuando se considere la inclusión de un plan de estudios humanista, por los chicos adictos a las drogas y al alcohol, por los jóvenes que se involucran en la relación sexual prematrimonial, y por un hijo víctima de abuso mental, emocional, físico o espiritual.

Sé una «cargadora de camillas»

El gozo de orar con otros es tener a varios intercesores que se suman a uno. Me encanta la idea de las mamás «cargadoras de camillas», unas por el hijo de las otras. En Marcos 2, Jesús enseñaba y sanaba en la «sala» de una familia.

> Se aglomeraron tantos que ya no quedaba sitio ni siquiera frente a la puerta [...] Entonces llegaron cuatro hombres que le llevaban un paralítico. Como no podían acercarlo a Jesús por causa de la multitud, quitaron parte del techo encima de donde estaba Jesús y, luego de hacer una abertura, bajaron la camilla en la que estaba acostado el paralítico. Al ver Jesús la fe de ellos, le dijo al paralítico:

—Hijo, tus pecados quedan perdonados [...] Pues para que sepan que el Hijo del hombre tiene autoridad en la tierra para perdonar pecados —se dirigió entonces al paralítico—: A ti te digo, levántate, toma tu camilla y vete a tu casa (vv. 2-5, 10-11).

Cuatro hombres llevaron a su amigo enfermo a Jesús. Sabían que si lograban llegar hasta Él, Jesús lo sanaría. Apartaron tiempo de sus agitadas vidas para tomar cada uno una esquina de la camilla, levantar a su amigo y caminar quién sabe qué distancia.

Ni siquiera una multitud logró detenerlos. Tuvieron la audacia de subirse a la azotea de la casa de un extraño y de hacer un agujero en el techo a fin de bajar a su amigo paralítico frente a Jesús. Estos hombres tomaron una situación imposible y la trajeron a Jesús que hizo posible lo imposible. ¿Se imaginan a los cuatro hombres mirando hacia abajo por el hueco del techo y esperando un milagro? Entonces Jesús alza la mirada y les dice que debido a su fe sanará a su amigo. La fe de los hombres, no la fe del amigo enfermo, produjo el milagro.

Los intercesores son como esos cuatro hombres. Toman una punta de la camilla y descienden a sus seres queridos, uno a uno, frente a Jesús. Muchos de nuestros hijos están paralizados por el pecado y el peso de esa realidad es demasiada carga para que un padre la lleve solo. Nos cansamos cuando no vemos cambios y cuando ni siquiera vislumbramos un indicio de respuesta a la oración.

Imagina a una mamá que toma una punta de la camilla y arrastra con lentitud a su hijo deportista de noventa kilos hasta donde está Jesús. Entonces, otra mamá se acerca y toma otra punta. Las oraciones de la segunda mamá encienden la fe. Luego viene otra mamá y otra más, y cada una sujeta una esquina. Vuelve la esperanza, mientras escucha las oraciones de fe de las otras mamás.

Después de atravesar una época frustrante y agotadora con uno de sus hijos, Jodie encontró la carga abrumadora. Así que acudió a su grupo de oración y reconoció lo que sucedía en su familia. «Di los detalles sórdidos de mi historia», relató, «y descubrí que mi familia y yo éramos los destinatarios de las oraciones más increíbles, poderosas y llenas de fe que escuchara jamás».

Qué bendición recibimos cuando otras mamás nos ayudan con fidelidad a llevar nuestra camilla, como ese enfermo cuyos amigos llevaron su camilla para presentarlo delante de Jesús. No importa si algunos de los hijos son rebeldes, indiferentes o están muertos en la fe. No pueden evitar que los pongamos en la camilla. Jesús mira los rostros esperanzados de los cargadores de camillas que oran y dice: «Hijo, tus pecados quedan perdonados» (Marcos 2:5).

Una de las mayores alegrías del intercesor es orar por la salvación de otros. Colocar a cada persona en la camilla e interceder por ella es un hermoso privilegio. Podemos orar para que el corazón de nuestros seres queridos sea receptivo (Lucas 8:8, 15), que se abran sus ojos espirituales (2 Corintios 4:3-4), que los libren del poder y la persuasión del maligno (2 Corintios 10:3-4) y de que se arrepientan y acepten a Cristo (2 Corintios 7:10).

A través de los años de Trisha en el instituto oramos por la salvación de dos de sus amigos. Los invitó a una cruzada de evangelización y, como no tenía licencia de conducir, me pidió que los llevara en el automóvil. Por supuesto, estaba encantada de llevarla junto con sus amigos. Durante el mensaje, uno de los muchachos se movía y tarareaba para sí. Pensaba *¿Qué remota oportunidad habrá de que este jovencito acepte a Cristo? Ni siquiera está escuchando.* Sin embargo, cuando se hizo la invitación, ambos le pidieron a Trisha que los acompañara al frente para aceptar a Cristo. Dios escuchó nuestras oraciones y ablandó el terreno del corazón de ambos jovencitos. Esa noche memorable, los dos se liberaron del poder y las persuasiones del malvado. Los ángeles danzaban, al igual que Trisha y yo.

Cuando uno intercede con regularidad por los hijos de otra persona, se genera un amor sincero por ellos. Uno se convierte en la familia extendida de oración, ocupándose por los hijos de la otra y pareciéndole que son suyos.

Como intercesora, puedes dejar una herencia de oración duradera. ¡Qué gozo es orar por cada uno de tus hijos, sus cónyuges o futuros cónyuges, por sus hijos y sus cónyuges también, a fin de que amen al Señor con todo su corazón y se consagren a Él. Qué emocionante resulta saber que mucho después de que partamos de este mundo, nuestros hijos, nietos, bisnietos y tataranietos vivirán en la atmósfera de nuestras oraciones.

Orar por las generaciones venideras es bíblico. Un día en que leía la famosa oración de Jesús de Juan 17, la verdad de los versículos 20 y 21 se grabó en mi corazón. Jesús dijo: «No ruego solo por estos. Ruego también por los que han de creer en mí por el mensaje de ellos, para que todos sean uno. Padre, así como tú estás en mí y yo en ti». Oraba por ti y por mí en ese momento. Y ahora nosotros disfrutamos de la cobertura en oración de Jesús de hace dos mil años.

Al darme cuenta de esta verdad sorprendente, leí todo el capítulo y me impactó la intercesión que Él hizo ante el Padre a mi favor: que el Padre me protegiera con el poder de su nombre; que sea uno en ellos así como ellos son uno; que sea protegida del maligno; que conozca la medida del gozo de Jesús; que sea santificada por la verdad de la Palabra de Dios y muchas cosas más.

Tomé los mismos asuntos que Jesús oró por mí y los oré por mis hijos y sus hijos. Y he podido ser testigo de algunas de las respuestas. Mis cuatro hijos han escogido parejas cristianas y mi pequeño nieto, Joshua, tiene un padre y una madre de oración que le enseñan los caminos del Señor. Puede que no llegue a conocer a los hijos de Joshua, pero mis oraciones por ellos tienen validez.

La declaración de Amy Carmichael me inspira y me motiva: «Tenemos muy pocos años para ganar la victoria y toda una eternidad para disfrutarla».

La oración con las Escrituras

Un intercesor es el que se pone en la brecha, uno que carga la camilla de un amigo necesitado; y un intercesor usa las Escrituras como una de las armas más importantes al orar por los demás. Un intercesor ora a Dios sus mismas palabras a favor de la persona por la que intercede.

Los ataques de Satanás se pueden frustrar mediante el poder de la Palabra viva de Dios. Jeremías habla de esto cuando declara: «¿No es acaso mi palabra como fuego, y como martillo que pulveriza la roca?» (Jeremías 23:29). La Palabra es como un martillo que condena y destroza la dureza que recubre los corazones, y hace que se arrepienta una persona obstinada y egocéntrica.

Jesús mismo usó las Escrituras para vencer a Satanás mientras lo tentaba en el desierto. «Escrito está: "No solo de pan vive el hombre, sino de toda palabra que sale de la boca de Dios"» (Mateo 4:4).

La Palabra de Dios también nos enseña a orar como es debido. Cuando oramos la Escritura, oramos la voluntad de Dios. Esto trae paz, fe y esperanza al corazón ansioso porque la Palabra de Dios dice: «Así es también la palabra que sale de mi boca: No volverá a mí vacía, sino que hará lo que yo deseo y cumplirá con mis propósitos» (Isaías 55:11).

Una mamá escribió para decir cómo la había transformado el uso de la Escritura en la oración. «Aprendí a caminar con firmeza y a apoyarme en la Palabra de Dios por su ayuda y dirección para mi vida y la de mis hijos. Esta experiencia me ha cambiado de adentro hacia fuera al provocar un anhelo intenso por conocer y aplicar su Palabra a mi vida».

Bárbara, una líder de un grupo de oración del instituto de Hendersonville, nos cuenta de una oración bastante particular que oraron por sus estudiantes: «No moriré sino viviré para narrar todos sus hechos» (Salmo 118:17, LBD). En el curso escolar anterior murieron muchos alumnos; así que las mamás oraron con fidelidad por protección y usaron el versículo de los Salmos como base.

«Todos los jueves, a través del anuario y por orden alfabético, orábamos por veinte alumnos cada semana», explicó Bárbara. «El 9 de noviembre oramos por un grupo que incluía a Josh, uno de los mejores amigos de mi hijo. Dos días después, Josh tuvo un terrible accidente automovilístico. Conducía de regreso a su casa y llevaba a su amiga, Kiara. A alta velocidad se salió del camino y el auto dio cuatro vueltas. Cuando la policía vio el estado del auto que estaba aplastado como una tortita, no podían creer que los chicos sobrevivieran. ¡Y sin un rasguño! El cinturón de seguridad de Kiara no la contuvo y terminó en el asiento trasero. El techo de su lado estaba tan abollado que de haber permanecido en su asiento no hubiera sobrevivido. Y por alguna razón, el techo del lado de Josh se abolló solo hasta milímetros de su cabeza. Otro amigo, un joven albanés, de intercambio de estudiantes que jamás usa cinturón de seguridad, iba a viajar en el asiento trasero, pero a último momento decidió no acompañarlos. El automóvil a duras penas evitó un gran árbol, pero terminó deteniéndose contra un buzón que habían colocado una semana antes. Le dije a Josh: "El mensaje es este: Dios escucha nuestras oraciones... ¡todas!". La oración es poder, poder sobre los planes de Satanás, poder dado por Dios».

Irene conocía el poder de la oración con las Escrituras y puso varias veces el nombre de su hija en los versículos. Una semana oró 1 Juan 2:16 por su hija: «Porque nada de lo que hay en el mundo —los malos deseos del cuerpo, la codicia de los ojos y la arrogancia de la vida— proviene del Padre sino del mundo». Mientras Irene oraba este pasaje por su hija, la frase «codicia de los ojos» venía una y otra vez a su mente. Muchas veces durante el día, Irene oró para que el Señor protegiera a Jody de cualquier cosa que no debían ver sus ojos.

Esa misma semana, una amiga invitó a Jody, que estaba en quinto grado, a pasar la noche en su casa junto con otras dos chicas más. Durante la noche, la amiga entró a la habitación de su hermano para sacar una revista y llamó a las niñas al baño. Entonces abrió la revista pornográfica. Jody dijo: «Esto no está bien, me voy». Cuando salió, otra de las niñas la siguió.

Irene no se enteró de lo sucedido sino varias semanas después. La niña que salió del baño junto con Jody le contó a su mamá el incidente y le dijo lo contenta que estaba de que Jody dijera algo. Eso le dio el valor a la amiga para hacer lo bueno.

A Jody la pusieron a prueba, pero por medio del poder de la Palabra de Dios pronunciada en oración, resistió la prueba. Y la fe de Irene aumentó al ver la respuesta a la oración.

Quizá uno de los pasajes de las Escrituras que más oran las mamás es lo que Jesús oró por sus discípulos y por nosotros en Juan 17:15: «Que los protejas del maligno». Estar en la brecha entre nuestros hijos y Satanás a través de la oración de la Palabra es algo muy poderoso. No tengo idea de la cantidad de veces que mis hijos se salvaron de tomar decisiones que destruyeran su vida, de personas malvadas o de determinadas circunstancias por haber orado ese versículo de la Biblia.

Cuando oro Zacarías 2:5: «Padre, te pido que seas un muro de fuego alrededor de ellos y dentro de ellos tu gloria», pienso en el Dios todopoderoso como un fuego que los rodea y que destruye todo lo que se les acerca para hacerles daño. ¡Qué hermosa imagen de la protección divina!

No solo oro para que Dios proteja a mis seres queridos del mal, sino que también oro para que Dios los proteja de hacer el mal. Le pido que fortalezca su ser interior para que resistan las tentaciones de Satanás. Empleo el pasaje que Jesús oró por Pedro cuando Satanás le pidió a Jesús si podía ir en contra de Pedro. Jesús le dijo a su discípulo: «Simón, Simón, mira que Satanás ha pedido zarandearlos a ustedes como si fueran trigo. Pero yo he orado por ti, para que no falle tu fe» (Lucas 22:31).

Un día, cuando Trisha estaba en el último año de la universidad, llamó con cansancio espiritual. Durante un tiempo sus compañeros que no eran salvos le habían estado lanzando toda clase de preguntas acerca de su fe. Algunas de las preguntas eran con el propósito de provocar y parecían imposibles de responder. Se sentía confundida y agotada mientras una vez tras otra defendía su fe. Trisha había estado tratando de vivir según 1 Pedro 3:15: «Más bien, honren en su corazón a Cristo como Señor. Estén siempre preparados para responder a todo el que les pida razón de la esperanza que hay en ustedes. Pero háganlo con gentileza y respeto».

Las preguntas insensatas de sus compañeros habían logrado que ella misma se cuestionara algunas cosas. Durante mis primeros años de oración, hubiera orado: «Señor, aleja de Trisha a estos amigos preguntones. Están debilitando su fe». En cambio, me di cuenta que necesitaba orar para que su fe no fallara. Era hora de orar para que fuera fortalecida en su ser interior. Al tener que pasar por esto, Trisha se volvió más diligente en la lectura de la Biblia, en buscar consejo piadoso y en leer libros sobre cómo defender su fe.

La oración en forma específica

Otra manera importante en que un intercesor puede orar además de orar las Escrituras, es orar en forma específica. Mateo 20:29-34 relata la historia de dos ciegos. Estaban sentados junto al camino cuando escucharon que pasaba Jesús. Comenzaron a gritar: «¡Señor, Hijo de David, ten compasión de nosotros!». La multitud quería que se callaran, pero ellos gritaban con más fuerza. Veamos cómo sigue la historia en el versículo 32: «Y deteniéndose Jesús, los llamó, y les dijo: ¿Qué queréis que os haga? Ellos le dijeron: Señor, que sean abiertos nuestros ojos. Entonces Jesús, compadecido, les tocó los ojos, y en seguida recibieron la vista; y le siguieron» (RV-60).

Jesús siempre supo lo que necesitaban, pero quería que expresaran su necesidad, que dijeran en voz alta lo que deseaban que les hiciera.

Oremos

Como intercesora, tienes el privilegio y la responsabilidad de ponerte en la brecha por otros ante el trono de la gracia de Dios. Ora las mismas palabras de Dios en beneficio de la persona por la que intercedes. Pide con audacia, confiando en las promesas de la Palabra de Dios. (Coloca el nombre de la persona en el espacio en blanco). Podrás encontrar otros pasajes de las Escrituras para una gran variedad de circunstancias en las páginas 230-231. Además, en las páginas 226-227 hay una lista de motivos que puedes orar cada día de la semana, pues en ocasiones las necesidades de las personas y el mundo pueden abrumar a un intercesor.

Relación con Dios. «Misericordioso Señor, te pido que _____ te ame con todo su corazón, con todo su ser y con toda su alma». (Mateo 22:37)

Pruebas, tentaciones y sufrimiento. «Bondadoso Padre, gracias por haber redimido a _____ y por haberle llamado por su nombre. Es tuyo. Me regocijo en tu promesa de que cuando _____ cruce las aguas, tú estarás con él. Cuando cruce los ríos, no lo cubrirán las aguas. Y cuando camine por fuego no se quemará». (Isaías 43:1-2)

Protección del maligno. «Todopoderoso Dios, tú eres fiel. Te ruego que fortalezcas y protejas a _____ del maligno». (2 Tesalonicenses 3:3)

Obediencia a los padres. «Amado Padre, por favor, enséñale a _____ que solo los necios se niegan a recibir enseñanza. Que _____ escuche a su padre y a su madre porque lo que de ellos aprenda le dará buena fama y le hará adquirir mucha honra. Te pido que _____ obedezca a su padre y a su madre». (Proverbios 1:8-9; 6:20, LBD)

Crecimiento en Cristo. «Querido Dios, por la manera en que _____ recibió a Cristo Jesús como Señor, que viva ahora en Él, arraigado y edificado en él, confirmado en la fe como se le enseñó, y lleno de gratitud». (Colosenses 2:6)

Poder en la debilidad. «Poderoso Señor, que _____ experimente tu gracia que es suficiente para él, porque tu poder se perfecciona en la debilidad. Que _____ pueda gustosamente hacer alarde de sus debilidades, para que permanezca sobre _____ el poder de Cristo». (2 Corintios 12:9)

Gozoso, paciente y fiel. «Padre celestial, desarrolla en _____ estas cualidades de carácter: alegría en la esperanza, paciencia en el sufrimiento y perseverancia en la oración». (Romanos 12:12)

Mantener la pureza. «Omnisciente Dios, te pido que _____ huya de las malas pasiones de la juventud y se esmere en seguir la justicia, la fe, el amor y la paz, junto con los que invocan al Señor con un corazón limpio». (2 Timoteo 2:22)

¿Cuál es tu necesidad? ¿Cuáles son las necesidades de tus hijos, de tu familia, de tu iglesia, de tu comunidad? Jesús te dice: «¿Qué quieres que haga por ti?».

La señora Cowman en su libro *Manantiales en el Desierto* nos alienta a que «hagamos nuestras peticiones con una sinceridad concreta a fin de obtener respuestas definidas. La falta de rumbo en los motivos de oración explica muchas oraciones al parecer sin respuesta [...] Llena tu cheque con algo concreto y podrás obtener el efectivo en el banco del Cielo cuando lo presentes en el nombre de Jesús. Anímate a ser claro con Dios»[5].

La oración con audacia

El intercesor pronuncia oraciones audaces. Jesús nos da un ejemplo vívido de esta clase de oración en Lucas 11. Un hombre tiene un amigo que llega de visita y no tiene nada que ofrecerle de comer. Entonces, va a la casa de un vecino a la medianoche, golpea a la puerta y le pide tres panes. Parte de la audacia de su petición radica en que un pan es la ración para un día y él pedía tres. A veces tenemos miedo de pedirle mucho a Dios. Nos parece demasiado, muy difícil para Él. ¡Qué insulto para el Rey de reyes y Señor de señores, Creador del cielo y de la tierra esto de sugerir que Él no puede hacer alguna cosa! Dios puede hacerlo y lo honramos cuando acudimos a Él con grandes peticiones.

El señor Crandle tenía la reputación de ser el maestro más severo de la escuela primaria. Muchos alumnos de cuarto grado reaccionaban con temor y temblor al enfrentar su destino de cursar el quinto grado en el aula del señor Crandle. Cierto año, un grupo de Madres Unidas para Orar recibió una petición de oración de la madre de una alumna del señor Crandle. Esta sensible niña le tenía terror. No soportaba los gritos, luchaba con las tareas y lloraba todas las noches.

La preocupación de esta familia se presentaba ante el Señor semana tras semana mientras el grupo pedía que el señor Crandle dejara de gritar. Los viejos hábitos son difíciles de romper y las mamás sabían que solo el Señor podría darle a un hombre la sabiduría para controlar su lengua.

Kathy, la líder de MITI, trabajaba en el aula del señor Crandle cuando él le dijo: «Siempre comienzo el año escolar con rudeza y gritos. Eso hace que los niños presten atención sin pensarlo mucho y les deja claro quién es el jefe. Al parecer, esto no da resultados con este grupo. ¡Tendré que buscar una táctica distinta!».

Continuó comentando que una familia vino a verle porque su hija le tenía terror. Entonces dijo: «Por nada del mundo quisiera causarle daño a ninguno de estos pequeños que me confían». Sin duda, Dios obra en respuesta a la oración. El señor Crandle halló una nueva manera de relacionarse con sus alumnos.

La «tarea» de Jesús es la intercesión, y también es la nuestra. Nos unimos a Él en esta grandiosa tarea. En 1 Timoteo 2:1, 3-4 encontramos: «Así que recomiendo ante todo que se hagan plegarias, oraciones, súplicas y acciones de gracias por todos [...] Esto es bueno y agradable a Dios nuestro Salvador, pues él quiere que todos sean salvos y lleguen a conocer la verdad». «Por lo tanto, mis queridos hermanos, manténganse firmes e inconmovibles, progresando siempre en la obra del Señor, conscientes de que su trabajo en el Señor no es en vano» (1 Corintios 15:58).

Dios todopoderoso, que puedes responder a todas nuestras oraciones, te pido que me ayudes a ser una intercesora confiable que ore las cosas que están en tu corazón. Ayúdame a creer más allá de toda sombra de duda que el ataque de Satanás se puede destruir por el poder de la Palabra viva de Dios. Te ruego que no ore de manera imprecisa, sino que haga peticiones específicas. Que presente ante ti oraciones audaces en favor de otros. Que no me canse de estar en la brecha. Te ruego que derrames en mí un espíritu de intercesión. Y espero ver tu bondad en la tierra de los vivientes. Amén.

Tercera parte

*La oración tan profunda
como tu corazón y tan vasta
como tu mundo*

8

La oración de acuerdo a las promesas de Dios

Cuando era pequeña, en mi clase de la Escuela Dominical cantábamos un coro:

Todas las promesas de la Biblia son mías,
Cada capítulo, cada versículo, cada oración.
Todas las bendiciones de su divino amor.
Todas las promesas de la Biblia son mías.

¿Será una declaración exagerada? ¿Son todas las promesas nuestras en realidad? Cuando oramos, necesitamos hacerlo con confianza. Y esa confianza se basa en que la promesa que reclamamos es para nosotros hoy.

Cuando oras, ¿sabes qué promesas de la Escritura son para que las reclamemos como propias y cuáles fueron para determinadas personas bajo circunstancias específicas? Es importante hacer la diferencia.

Solo porque oremos una promesa eso no garantiza que la oración sea respondida de la manera que esperamos. Cassandra lo sabe muy bien. He aquí cómo cuenta su historia:

«Cuando nuestros hijos eran preescolares, me reunía con una querida amiga una vez a la semana para orar por nuestros cuatro chicos. Después de eso, no pasó un solo año sin que liderara un grupo de oración y contara con un fiel núcleo de mujeres que oraran por mis hijos, así como yo también oraba por los suyos.

Orábamos las promesas de Dios por nuestros hijos, a fin de que manifestaran rasgos del carácter piadoso y, desde luego, por un cónyuge cristiano para cada uno de ellos.

»Desde pequeña, Melissa mostraba un fuerte sentido del llamado de Dios en su vida. Aceptó al Señor a edad temprana y ya en el preescolar les hablaba a sus amigos de Jesús. Durante la escuela primaria leyó varias veces la Biblia por su cuenta y memorizaba largas porciones de las Escrituras. Tenía un corazón inclinado a las misiones y su objetivo era participar en algún tipo de servicio cristiano. Era esa clase de niños que no genera problemas y disfrutábamos de verla caminar con Dios.

»Sin embargo, en algún momento de la universidad la situación espiritual del corazón de Melissa debió cambiar. Como vivíamos lejos de la universidad, no detectamos ese cambio. Cuando se graduó, sucedió algo inesperado. Salía con un joven de otra religión. A pesar de que mostrábamos preocupación, al final Melissa se casó con él.

»A través de los años, Dios había respondido muchas oraciones a nuestro favor, pero parecía indiferente a nuestras peticiones de que Melissa se casara con alguien que tuviera su mismo deseo de servir al Señor. La elección de un compañero piadoso es una decisión de suma importancia que influye en las generaciones futuras. Cuando recordaba su anterior pasión por Dios, mi corazón se estrujaba.

»Luego, mientras leía Isaías, sentí el impacto de la angustia del corazón de Dios por su hijo desobediente: Israel. Cada página estaba húmeda por las lágrimas, las lágrimas de un Padre, mostrando su corazón destrozado.

»Por fin brilló una luz para mí: ¿Cómo iba a comprender el corazón destrozado de Dios por su mundo a menos que mi corazón se desgarrara primero? A través de esta circunstancia fue que aprendí a orar desde mi corazón herido por un mundo pródigo. Me di cuenta de que lo que consideraba una oración "sin respuesta" podía ser el medio para llegar a conocer a Dios de manera más personal. Él tendrá verdades más profundas para enseñarme a través de mis decepciones y oraciones sin respuesta. A medida que seguimos orando por Melissa y su esposo, ahora vemos la situación bajo una luz diferente».

¿Qué es una promesa? El diccionario de la Real Academia Española dice en la primera acepción: «Expresión de la voluntad de dar a alguien o hacer por él algo». Qué desilusión cuando alguien te promete algo y luego no cumple. Muchas veces, esas promesas rotas pueden dejarnos con el corazón hecho trizas.

Aun así, jamás debemos temer que Dios pueda romper nuestro corazón por no mantener una promesa que haya hecho. Él es un cumplidor de promesas. David dice refiriéndose a Dios en el Salmo 138:2: «Porque tus promesas están respaldadas por la honra de tu nombre» (LBD).

La vida puede ser dolorosa. Enfermedad, muerte, accidentes y sucesos catastróficos pueden interrumpir el fluir de nuestra vida dejándonos atemorizados. Dios permitirá algunas tormentas en nuestra vida para probarnos a que confiemos en Él y en su Palabra. En Marcos 4 encontramos la historia de los discípulos en medio de una tormenta; una tormenta que permitió el Señor. Jesús les dijo: «Crucemos al otro lado». Como era omnisciente (que lo sabe todo), sabía lo que iba a suceder.

Imagina las aguas embravecidas, las nubes oscuras y las olas violentas que azotaban la barca. Los rostros de los discípulos están llenos de terror mientras trabajan con afán por mantenerse a flote. Llegan casi al punto de la extenuación. Eran pescadores profesionales; habían estado en otras tormentas, pero a pesar de que lo intentaron con todas sus fuerzas, no lograron controlar esta situación. ¿Y dónde estaba Jesús? Durmiendo en la popa. ¿Cómo podía seguir durmiendo? ¿Acaso no le importaba? ¿No se había dado cuenta que peligraba la vida de todos?

Luego de agotar sus propios recursos, acudieron a Jesús y clamaron aterrorizados: «¡Maestro! [...] ¿no te importa que nos ahoguemos?».

¿Acaso intentas controlar tus situaciones haciendo uso de tu propia sabiduría, fortaleza y posibilidades? Y luego, cuando ves que nada resulta, clamas a Jesús con desesperación: «Señor, ¿no ves lo que sucede? ¡Me estoy ahogando!».

¡Jesús está en nuestra barca! Cualquiera que sea la situación en la que te halles, cualquiera que sea la prueba que atravieses, ¡Él está en tu barca! Desea revelarte su poder y mostrarte su gloria. Cuando experimentamos tormentas, y las vamos a tener que enfrentar, Dios nos dice: «¿Confiarás en mí? ¿Creerás en mis promesas? Te ruego, clama a mí y te responderé, y te daré a conocer cosas grandes y ocultas que tú no sabes. Mis oídos están atentos a tu clamor. Porque yo sé muy bien los planes que tengo para ti, planes de bienestar y no de calamidad, a fin de darte un futuro y una esperanza. Te basta con mi gracia, pues mi poder se perfecciona en la debilidad» (Jeremías 33:3; Salmo 34:15; Jeremías 29:11; 2 Corintios 12:9).

Dios anhela que confiemos en Él. Desea que los creyentes mezclen sus promesas con fe. La manera en que respondemos a las dificultades, a las tormentas, se relaciona de forma directa con cuánto conocemos a Dios. Podemos confiar en alguien que conocemos. El descanso proviene de la confianza en su amor inmutable e infalible por nosotros y en creer que Él jamás retendrá de nosotros algo que sea para nuestro bien. Por eso podemos darle gracias con antelación por el cumplimiento de sus promesas aunque todavía no hayamos saboreado la respuesta.

¿Promesas incumplidas?

Entonces, ¿qué ocurre cuando hemos orado por algo basadas en una promesa de las Escrituras y la respuesta de Dios no es la que esperábamos?

El doctor De Haan nos ofrece una perspectiva.

Al no comprender una promesa dentro de su contexto podemos llegar a sacar conclusiones equivocadas. Muchas personas andan citando versículos bíblicos como promesas para ellos como individuos cuando, a decir verdad, fueron promesas dadas a determinados personajes bíblicos, a una nación o a algunas personas de cierta época[1].

Aunque algunas promesas se les dieron a personas específicas, ¿no pueden acaso esos principios aplicarse a nosotros? De Haan responde sí y no.

Si la promesa refleja una característica inmutable de Dios y la manera en que se relaciona con nosotros, podemos dar por sentado de forma razonable que, debido a que Él es invariable, continuará cumpliendo esa promesa en relación con otras personas. Por ejemplo, cuando el Señor le dijo al apóstol Pablo: «mi poder se perfecciona en la debilidad», se refería a una situación específica de la vida de Pablo («una espina [...] clavada en el cuerpo» de 2 Corintios 12:7-10). Sin embargo, esa verdad se aplica a todas las personas que reconocen su debilidad y buscan la fortaleza de Dios». (Efesios 1:19)[2]

Un ejemplo de una promesa que no podemos reclamar es la dada a Josué cuando el Señor le dijo: «Yo les entregaré a ustedes todo lugar que toquen sus pies» (Josué 1:3). Este versículo no significa que si tú espías un gran terreno y le das vuelta al perímetro con tus zapatillas, esa propiedad será tuya. No obstante, algunos han usado este versículo para reclamar un barrio violento para Dios, mientras recorrían las calles y oraban. Es cierto, Él desea tener la autoridad sobre nuestra comunidad, pero reclamar este versículo como promesa es una mala suposición.

El *principio* que hallamos en el versículo puede aplicarse al orar: «Padre, mientras caminamos rodeando este barrio, te pedimos que el territorio que se le ha entregado a Satanás vuelva a ser tuyo». Sin duda, esta es la voluntad de Dios. Necesitamos ser cuidadosos en cuanto a reclamar una promesa que se le dio a un personaje bíblico por una razón específica.

Promesas incondicionales y condicionales

Algunas de las promesas de Dios son incondicionales y otras son condicionales. ¿Qué es una promesa incondicional? De Haan declara: «Él promete cumplir con su parte del acuerdo sin importar lo que hagamos nosotros [...] El cumplimiento de las promesas incondicionales no depende de la fidelidad de la gente, sino solo de Dios. Aunque no seamos fieles, Dios no puede más que ser fiel a su Palabra (2 Timoteo 2:13)»[3].

Estas son promesas incondicionales:

Dios le dijo a Noé que jamás enviaría de nuevo un diluvio mundial (Génesis 9:8-17).

David recibió la certeza de que su descendencia real duraría para siempre (2 Samuel 7:16).

Jesús dijo que regresaría a la tierra para retribuir a los rectos y castigar a los malvados (Mateo 16:27; 25:31-46).

Jesús prometió que, cuando ascendiera al cielo, enviaría al Espíritu Santo (Juan 16:5-15).

Jesús prometió salvar, guardar y resucitar a la vida eterna a todos los que confían en Él (Juan 6:35-40).

Jesús prometió proveer para nuestras necesidades (Mateo 6:25-34).

Jesús prometió que Él nos daría todo lo necesario para vivir para Él (2 Pedro 1:3-4).

Tenemos la certeza de que somos salvos (Juan 10:29).

Entonces, ¿qué es una promesa condicional? «Son las promesas que incluyen indicaciones (condiciones) que debemos seguir si vamos a disfrutar todo lo que Él nos ha ofrecido», según opina De Haan. «Estas promesas condicionales dependen de que cumplamos ciertos requisitos»[4].

Las promesas condicionales incluyen:

Dios prometió éxitos, prosperidad y protección si las personas obedecían la ley de Moisés (Josué 1:7-9).

Si una persona se deleita en el Señor, Él le dará los deseos de su corazón (Salmo 37:4).

Si buscamos las cosas con valor eterno, Dios se ocupará de nuestras necesidades (Mateo 6:25-34).

Si ponemos nuestra confianza en Jesús, tendremos vida eterna, pero si lo rechazamos, no podemos escapar de la condenación (Juan 3:16-18).

Si nos sometemos a Dios y resistimos al diablo, él huirá de nosotros (Santiago 4:7).

Dios nos perdonará *si* confesáramos (1 Juan 1:9).

Si oramos de acuerdo a su voluntad, Él nos oye y hará lo que le pidamos (1 Juan 5:14-15).

El Salmo 145 nos da buenos ejemplos de algunas promesas que se aplican a todo el pueblo de Dios y luego otras promesas que se aplican a un grupo selecto o a una persona. Los versículos 9 y 16 tienen promesas para todos nosotros: «El SEÑOR es bueno con todos: él se compadece de toda su creación [...] Abres la mano y sacias con tus favores a todo ser viviente».

Luego tenemos las promesas para determinados grupos: «El SEÑOR está cerca de quienes lo invocan, de quienes lo invocan en verdad. Cumple los deseos de quienes le temen; atiende a su clamor y los salva. El SEÑOR cuida a todos los que lo aman, pero aniquilará a todos los impíos» (vv. 18-20).

Debido a que Dios es fiel, podemos descansar en sus promesas, pues Él «no es un simple mortal para mentir y cambiar de parecer. ¿Acaso no cumple lo que promete ni lleva a cabo lo que dice?» (Números 23:19).

Una querida amiga, Leslie, dio el devocional en la celebración por el nacimiento de mi nieto. A Bonnie, mi nuera, le faltaba un mes para tener al bebé, pero sabíamos que sería varón y que se llamaría Joshua [Josué]. Al final del devocional, Leslie nos repartió versículos del libro de Josué a cada una para que oráramos por mi futuro nieto.

Una mamá oró con fe la *promesa* de Josué 1:5: «Querido y amoroso Padre, así como le prometiste al Josué de la antigüedad, yo te ruego por el Josué de Troy y Bonnie que así como estuviste con Moisés, también estés con él. Gracias por tu promesa de que nunca lo abandonarás ni lo dejarás» (Hebreos 13:5).

Otra madre oró esta promesa *condicional* para mi nieto: «Padre, te ruego que Joshua tenga mucho valor y firmeza para obedecer toda la ley que tu siervo Moisés mandó y no se aparte de ella para nada; solo así tendrá éxito dondequiera que vaya» (Josué 1:7).

Y otra de las madres oró otra promesa *condicional* del libro de Josué: «Padre, te ruego que Joshua recite siempre el libro de la ley y medite en él de día y de noche. Que cumpla con cuidado todo lo que en él está escrito, así prosperará y tendrá éxito» (Josué 1:8).

Tanto amor derramado a favor de Joshua usando la Palabra de Dios bendijo de tal manera a Bonnie que más adelante mecanografió esos versículos en la computadora, los imprimió con letra grande y los enmarcó. Entonces, colgó los cuadritos en la habitación de Joshua. Su deseo es contarle a Joshua cómo esas mujeres que no lo conocían oraron la Palabra de Dios a su favor. Bonnie piensa ayudarlo a memorizar cada versículo cuando crezca.

Dios se coloca a nuestro alcance cuando le decimos: «Señor, tú prometiste». Él no puede retractarse de una promesa. Charles Spurgeon lo expresa de la siguiente manera: «Cada promesa de las Escrituras es algo escrito por Dios, que puede reclamarse con este razonamiento lógico: "¡Haz como has dicho!"»[5].

Susan era una madre que sabía cómo orar las promesas de Dios. Entraba al cuarto de su rebelde hija adolescente mientras ella estaba en la escuela y clamaba ante el Señor durante horas. «Derramaba mi corazón como agua por la vida de mi niña, que estaba atrapada en una vorágine de drogas y rebeldía», como lo dice Susan.

Susan oraba esas promesas de las Escrituras, a fin de que Dannika amara al Señor su Dios con todo su corazón, su alma, su mente y sus fuerzas; que supiera en verdad quién es en Cristo, que la crearon de forma maravillosa; que confiara en el Señor con todo su corazón y que no se apoyara en su propia prudencia, sino que en todos sus caminos reconociera a Dios y que Él dirigiera sus pasos; que Dios ablandara su corazón duro y frío, que removiera su corazón de piedra y lo sustituyera por uno de carne; que pudiera disfrutar de la compañía de los que aman al Señor y que son de corazón puro; que odiara lo que odia Dios; que la mentira se apartara de sus labios; que clamara a Dios y que Él la librara de sus angustias, la sanara y la rescatara; que Dios derribara las fortalezas de la vida de Dannika (las drogas, el trastorno alimenticio, la rebeldía, la deshonestidad y la falta de respeto).

Luego Susan oraba por sí misma, ya que no solo atravesaba momentos difíciles con Dannika, sino que también tenía un matrimonio conflictivo y enfrentaba ciertos desafíos con sus tres hijos varones. «Obtenía consuelo una vez tras otra de la Palabra de Dios», dijo Susan, incluyendo: «No temas, porque YO ESTOY contigo; no desmayes, porque YO SOY tu Dios que te esfuerzo; siempre te ayudaré».

«Sus promesas me permiten seguir adelante y lo harán hasta el día en que lo vea cara a cara», dice Susan, mientras nos relata que tres años después que comenzara a orar las promesas de Dios con todo fervor, Dannika aceptó a Cristo y se bautizó.

Susan no podría haber orado de la manera en que lo hizo si no conociera las promesas de Dios. Y lo mismo sucede con cada una de nosotras. No podemos orar las promesas de Dios para nosotras, para nuestro cónyuge, nuestros hijos, nuestra iglesia y nuestra comunidad si no sabemos cuáles son esas promesas. Necesitamos conocer la «totalidad» de las Escrituras para que podamos proclamar con Jeremías: «Al encontrarme con tus palabras, yo las devoraba; ellas eran mi gozo y la alegría de mi corazón, porque yo llevo tu nombre, SEÑOR, Dios Todopoderoso» (Jeremías 15:16).

Una vida poderosa de oración se da cuando oramos a Dios sus promesas. Que de nosotros se diga como se dijo de Abraham: «Ante la promesa de Dios no vaciló como un incrédulo, sino que se reafirmó en su fe y dio gloria a Dios, plenamente convencido de que Dios tenía poder para cumplir lo que había prometido» (Romanos 4:20-21).

Vacilaba un poco en la fe con relación a mi hija Trisha. A través de su último año en el instituto, oraba con regularidad por ella la promesa del Salmo 32:8: «El SEÑOR dice: Yo te instruiré [Trisha], yo te mostraré el camino que debes seguir; yo te daré consejos y velaré por ti». Este pasaje trajo paz a mi corazón mientras ella se enfrentaba a la difícil decisión de a qué universidad asistir. Yo tenía una idea sobre la universidad a la que el Señor podría guiarla. Verás, una universidad cristiana estaba a unos cuarenta y cinco minutos de nuestra casa, y pensé que ese sería un sitio seguro para ella. Como Trisha es la menor y la única mujer, deseaba que estuviera cerca de casa, aunque también deseaba que tuviera un entorno con la misma fe en la que se había educado. Aun así, oraba de corazón que se hiciera la voluntad de Dios. Trisha visitó varias universidades, incluso la que a mí me gustaba.

Como ella oraba por esto, supe que Dios la guiaría y la instruiría en lo que sería mejor para su vida y la acompañaría en cada paso.

Cada vez que quería dudar de esta promesa, Dios me atrapaba en la segura red de su soberanía. Recuerdo un día en particular en el que estaba inquieta al respecto y leí Hechos 17:26-27. «De un solo hombre [Dios] hizo todas las naciones para que habitaran toda la tierra; *y determinó los períodos de su historia y las fronteras de sus territorios.* Esto lo hizo Dios para que todos lo busquen y, aunque sea a tientas, lo encuentren. En verdad, él no está lejos de ninguno de nosotros» (énfasis añadido).

El Espíritu Santo tocó mi corazón de tal manera con esta maravillosa verdad que enseguida me puse a orar: «Soberano Señor, te doy gracias por estas palabras reconfortantes que dicen que donde sea que estén nuestros hijos tú los pusiste allí. Tú fijaste con antelación los tiempos y los lugares exactos donde deben estar para que las circunstancias en las que se hallen los haga buscar a Jesús y hallarlo. Por eso, Padre amado, no tengo de qué preocuparme ni tengo nada qué temer porque puedo confiar en ti, mi Dios soberano».

Después de ese tiempo de oración, pude una vez más entregar a mi precioso tesoro, mi Trisha, a mi Dios que es digno de toda confianza. ¿De qué manera respondió Dios mi oración? Él eligió enviarla a una universidad secular a diez horas y media de nuestra casa. Y ese fue el terreno propicio donde se profundizaron aun más su fe y su intimidad con su amado Jesús.

«¿Hay algo imposible para mí?»

Nuestra fe aumenta a medida que oramos las promesas de Dios y creemos en el Dios que hace la pregunta retórica: «¿Hay algo imposible para mí?» (Jeremías 32:27). La Palabra declara de manera enfática: «Porque para Dios no hay imposibles» (Lucas 1:37, LBD).

Oremos contra la fe limitada. La fe limitada está bajo el control de nuestras circunstancias y la motiva el temor. No obstante, la fe ilimitada fija sus ojos en Jesús, el autor y consumador de nuestra fe.

Se cuenta la historia de un gran terremoto, el cual estremeció a los habitantes de un pequeño pueblo con temor. Sin embargo, estaban asombrados por la tranquilidad y el gozo aparente de una anciana. Por fin, uno de los pobladores se dirigió a la anciana: «Madre, ¿no tiene miedo?». «No», le respondió. «Me gozo en saber que tengo un Dios que puede sacudir al mundo».

Agradamos a Dios cuando creemos en lo que dice y oramos sus palabras porque «sin fe es imposible agradar a Dios, ya que cualquiera que se acerca a Dios tiene que creer que Él existe y que recompensa a quienes lo buscan» (Hebreos 11:6).

¿Y cómo obtenemos la fe? Romanos 10:17 nos dice: «Así que la fe viene como resultado de oír el mensaje, y el mensaje que se oye es la palabra de Dios». La Palabra de Dios ayuda a crecer nuestra fe.

¿Cuánta fe debemos tener? Jesús nos da la respuesta: «Les aseguro que si tienen fe tan pequeña como un grano de mostaza, podrán decirle a esta montaña: "Trasládate de aquí para allá", y se trasladará. Para ustedes nada será imposible» (Mateo 17:20). ¿No es eso asombroso? No se trata de cuánta fe tengamos, sino del objeto de nuestra fe. Dios desea mostrarnos cosas «grandes y poderosas» cuando le pedimos de acuerdo a su Palabra.

No se trata de cuánta fe tengamos, sino del objeto de nuestra fe. Dios desea mostrarnos cosas «grandes y poderosas» cuando le pedimos de acuerdo a su Palabra.

Es evidente que eso fue cierto para una esposa desesperada que me contó de sus problemas matrimoniales. Había perdido las esperanzas. Su esposo no quería ir a la iglesia ni a un consejero. Durante años, había orado a Dios para que lo transformara. Llegó al punto que ya no tenía ningún tipo de sentimiento hacia su esposo. Se sentía sola, traicionada y vacía en lo espiritual.

El Señor habló a su corazón, mientras leía 1 Pedro 3:1-2: «Esposas, sométanse a sus esposos, de modo que si algunos de ellos no creen en la palabra, puedan ser ganados más por el comportamiento de ustedes que por sus palabras, al observar su conducta íntegra y respetuosa». Reconoció por la Palabra que su esposo no veía una vida pura y reverente en ella y que a menudo sus palabras no eran gratas. Veía que era amable, cortés y paciente con todo el mundo menos con su esposo. La mujer se aferró a esta promesa de 1 Pedro y le pidió a Dios que la ayudara a ser la clase de esposa de la que hablaba Pedro.

Le pidió a Jesús que amara a su esposo por medio de ella, porque ella no podía hacerlo. Dios escuchó su sencilla oración, al reclamar esa promesa, y como su corazón estaba abierto a Dios, Él la transformó. En primer lugar, resolvió amar a su esposo tal como era. Se dio cuenta de que solo Dios puede transformar un corazón y no su insistencia, su coacción y sus expectativas interminables. Controló su lengua y, en cambio, comenzó a orar las Escrituras por su esposo. Mientras se ocupaba de fortalecer su relación con Jesús, comenzó a desarrollar un espíritu más tierno hacia su esposo, y prefirió concentrarse en los puntos fuertes de él en vez de hacerlo en los débiles, lo elogiaba y expresaba palabras de afirmación y aliento. Su fe creció y le resultó más sencillo creer que «el Señor no tarda en cumplir su promesa, según entienden algunos la tardanza. Más bien, él tiene paciencia con ustedes, porque no quiere que nadie perezca sino que todos se arrepientan» (2 Pedro 3:9).

Dijo: «Pensé que si Dios era paciente, yo también podía serlo. Me llevó décadas, pero ahora mi esposo es creyente». Cuando ambos asisten juntos a la iglesia y oran juntos, se regocija en la fidelidad de Dios a sus promesas.

Jill también descubrió que Dios es fiel a sus promesas. Sabía que ni ella ni sus hijos amaban al Señor con todo su corazón, su alma, su mente y sus fuerzas. Dijo: «Es algo que uno jamás reconocería delante de otro porque pensaría que uno es desastroso, pero en mi interior sabía que era así. Comencé a orar todos los días por mis hijos y por mí el pasaje de Efesios 3:18, a fin de que lográramos "comprender [...] cuán ancho y largo, alto y profundo es el amor de Cristo". Justo este verano pasado, sonó mi teléfono celular y era mi hijo Josh. Estaba con un nudo en la garganta y apenas si podía hablar. Desde luego, estaba alarmada, pero entonces me dijo: "Mamá, quería que supieras que estoy admirado de cuánto me ama Dios. Mami, Él es muy real, muy real.

¿Alguna vez te has sentido abrumada por eso?". Al finalizar la conversación grité de gozo. Solo mediante la oración podrían mis hijos recibir tal transformación y ver el amor de Dios con tanta claridad. Se necesitó de la oración para hacer que esa verdad calara hondo en la vida de mi hijo. Es como si la oración con la Palabra de Dios permitiera que esta llegara a lo más profundo de tu espíritu».

Julie reconoce que su fe se puso a prueba al orar Isaías 61:3 a favor de sus hijas adolescentes, para que fueran llamadas robles de justicia, plantío del Señor, para mostrar su gloria. «Muchas veces su conducta es directamente opuesta a mi visión de que se conviertan en "robles de justicia"», relató Julie.

Entonces llegó el día en que su hija mayor, Cindy, debía decidir si asistiría o no a un baile. A último momento, decidió ir. (Su hermana, Carole, ya había decidido que iría). Al día siguiente del baile, Carole le contó a su madre que Cindy había bailado de manera inapropiada.

«No quería traicionar la confianza de mi hija», dijo Julie, «pero deseaba que lo que hizo Cindy saliera a la luz. Así que, en vez de discutirlo con ella, acudí al Señor en oración».

Ese domingo, Cindy dijo que deseaba hablar con la esposa de su líder juvenil porque había hecho algo en el baile que deshonró a Dios. Ya lo había confesado a Dios, pero quería hablar con alguien al respecto.

«Estaba muy agradecida que Dios hubiera impedido que le sonsacara una confesión», dijo Julie. «Me consuela saber que el Espíritu Santo habita en el corazón de mi hija. Él le habla, la convence de pecado y la guía. A decir verdad, está convirtiendo a mi hija en una mujer justa para mostrar su gloria».

Toquemos el cielo y transformemos la tierra

Cuando oramos, tocamos el cielo y transformamos la tierra. El conferenciante Ron Hutchcraft nos recuerda: «Dios ha dejado su depósito abierto para sus hijos. Él desbloqueó sus recursos

Oremos

Abajo se enumeran promesas que puedes reclamar. En las páginas 230-231 aparecen otras promesas.

Escoge una promesa al día o a la semana. Escribe el versículo en una tarjeta o ficha. Si lo deseas, puedes memorizarlo. En la parte posterior de la tarjeta responde esta pregunta: ¿Qué significa este versículo para mí? Luego escribe una oración en la que le recuerdes a Dios su promesa.

Salvación: «Porque tanto amó Dios al mundo, que dio a su Hijo unigénito, para que todo el que cree en él no se pierda, sino que tenga vida eterna» (Juan 3:16).

Nueva creación: «Por lo tanto, si alguno está en Cristo, es una nueva creación. ¡Lo viejo ha pasado, ha llegado ya lo nuevo!» (2 Corintios 5:17).

Provisión: «Hasta ahora no han pedido nada en mi nombre. Pidan y recibirán, para que su alegría sea completa» (Juan 16:24).

Victoria: «Ustedes no han sufrido ninguna tentación que no sea común al género humano. Pero Dios es fiel, y no permitirá que ustedes sean tentados más allá de lo que puedan aguantar. Más bien, cuando llegue la tentación, él les dará también una salida a fin de que puedan resistir» (1 Corintios 10:13).

Perdón: «Si confesamos nuestros pecados, Dios, que es fiel y justo, nos los perdonará y nos limpiará de toda maldad» (1 Juan 1:9).

Aliento: «Yo les he dicho estas cosas para que en mí hallen paz. En este mundo afrontarán aflicciones, pero ¡anímense! Yo he vencido al mundo» (Juan 16:33).

Propósito: «Porque yo sé muy bien los planes que tengo para ustedes —afirma el SEÑOR—, planes de bienestar y no de calamidad, a fin de darles un futuro y una esperanza» (Jeremías 29:11).

Búsqueda de Dios: «Me buscarán y me encontrarán, cuando me busquen de todo corazón» (Jeremías 29:13).

Temor: «Así que no temas, porque yo estoy contigo; no te angusties, porque yo soy tu Dios. Te fortaleceré y te ayudaré; te sostendré con mi diestra victoriosa» (Isaías 41:10).

Paz: «Al de carácter firme lo guardarás en perfecta paz, porque en ti confía» (Isaías 26:3).

Confianza: «Todo lo puedo en Cristo que me fortalece» (Filipenses 4:13).

Dirección: «El SEÑOR dice: "Yo te instruiré, yo te mostraré el camino que debes seguir; yo te daré consejos y velaré por ti"» (Salmo 32:8).

Cuando tus peticiones no obtengan respuesta y te sientas desanimada, cansada y sin esperanzas, toma la Biblia en tus manos y dile al Señor: «Padre celestial, tú lo prometiste». Después lee en voz alta la promesa y se restaurará tu esperanza.

infinitos y prometió que nuestra oración de fe liberará esos recursos para que cubran nuestra necesidad, la situación que enfrentamos o la persona que amamos. Cuando ores, no lo olvides: estás tocando el cielo y transformando la tierra»[6].

A menudo nuestra oración de fe en MITI es que atrapen a nuestros hijos cuando sean culpables.

Cuando oramos, tocamos el cielo y transformamos la tierra.

¿Qué me dices de esto de tocar el cielo y transformar la tierra? Cuando atrapan a nuestros hijos, creemos que eso les da la oportunidad de prestar atención a Dios y de ser obedientes a lo que desea. Una y otra vez he visto hijos sanados, restaurados y perdonados porque debieron afrontar las consecuencias de sus actos.

Paula relata: «La primera vez que mi hija se escapó de una clase en el instituto, la atraparon. Un cristiano que trabajaba en la oficina la vio cuando la descubrieron y preguntó qué sucedía.

Mi hija le comentó su frustración de que otros se escaparan a cada momento y que jamás los atraparan. El empleado comentó que mi hija estaba santificada (puesta aparte) para que Dios la usara. Imagínense el asombro de mi hija cuando le conté que no solo orábamos que atraparan a nuestros hijos cuando fueran culpables, sino que esa misma semana oramos las palabras exactas que le dijo ese empleado».

Las promesas de Dios nos brindan pautas sobre cómo orar cuando nuestra mente cansada y nuestro corazón apesadumbrado no saben qué pedir. Y su promesa nos ayuda a orar con persistencia, al devolverle a Dios sus propias palabras una vez tras otra. Entonces, cuando esas oraciones reciben respuesta, toda la gloria es para Él, el autor y consumador de nuestra fe.

Me gustaría finalizar este capítulo con un antiguo himno. La letra es mi oración por ti.

Todas las promesas del Señor Jesús,
Son apoyo poderoso de mi fe;
Mientras viva aquí cercado de su luz,
Siempre en sus promesas confiaré.

Todas sus promesas para el hombre fiel,
El Señor en sus bondades cumplirá,
Y confiado sé que para siempre en él,
Paz eterna mi alma gozará.

Todas las promesas del Señor serán,
Gozo y fuerza en nuestra vida terrenal;
Ellas en la dura lid nos sostendrán,
Y triunfar podremos sobre el mal.

R. Kelso Carter[7]

9

La oración de común acuerdo

Una noche, Kerrie tuvo un sueño perturbador. Una joven hermosa le pidió a su hija, Nichole, que cruzara un puente que estaba por encima de una acera de hormigón. La mujer le dijo que necesitaba hablar con ella. Cuando Nichole comenzó a cruzar, el puente se vino abajo. Ella enseguida se sujetó de la barandilla mientras los pedazos de puente caían sobre la acera sólida abajo. La joven reía y su apariencia se transformó revelando una cara horrible. Había engañado a Nichole. Kerrie corrió hacia el puente que se derrumbaba, tomó la mano de Nichole y luchaba por sostenerla.

«Temía que se me soltara de la mano», relata Kerrie, «y entonces sentí que una mano sujetaba la mía. Tuve la fuerza suficiente para tirar de mi hija y ponerla a salvo. Sentía que la fuerza aumentaba y, al mirar hacia atrás, pude ver una cadena de personas, una tomada de la otra, que me ayudaban a tirar de Nichole y rescatarla. Sabía quiénes eran esas personas; eran todos nuestros intercesores de oración».

Cuando Kerrie se despertó, se dio cuenta de que su sueño se relacionaba con Madres Unidas para Orar. Dijo: «Estoy muy agradecida que otras madres se tomen el tiempo para unirse a esta cadena para orar entre sí por sus hijos».

Las mamás preguntan a menudo: «¿Por qué necesito reunirme con otras para orar? Yo oro todos los días por mis hijos». Mi respuesta es que, ante todo, orar juntos es bíblico. La Biblia habla en varias oportunidades de las personas que se reúnen para orar, en especial durante una crisis.

Glenda puede confirmar la importancia de contar con un grupo de oración cuando aparece una crisis en la vida de una mamá. Su hija, Michelle, tenía doce años cuando le diagnosticaron leucemia y le dijeron que solo tenía sesenta y cinco por ciento de las probabilidades para sobrevivir.

«En momentos así, resulta difícil orar», reconoce Glenda. «Uno se consterna y solo hace lo que tiene delante. Hice cientos de oraciones "telegrama", pero reconozco que fueron las oraciones de los demás las que me mantuvieron en pie y me dieron las fuerzas necesarias cada día».

Como vivían en Alaska, Michelle y su mamá fueron a Seattle para el tratamiento médico de la niña. Por más de siete meses, el grupo de oración de Alaska no solo oró por ellas, sino también por el resto de la familia de Glenda. Y les llevaban comidas a los dos hijos y al esposo.

La médula ósea de uno de los hermanos de Michelle era compatible y un trasplante aumentaba sus posibilidades de supervivencia. Sin embargo, hubo un par de oportunidades en que Michelle casi no lo logra. El grupo de oración siguió intercediendo.

Al final, Michelle y su madre regresaron a casa. Como la pequeña necesitaba un ambiente libre de gérmenes, el grupo de oración de Glenda desinfectó la casa antes de que llegaran la paciente y su mamá.

«Este agosto, seis años después que diagnosticaran a Michelle, regresamos a Seattle para un chequeo general», dijo Glenda. «Escuchamos la tan ansiada palabra de que Michelle estaba curada de la leucemia. Alabamos a Dios y le dimos gracias al grupo de oración que con tanta fidelidad oró por nosotros durante nuestro largo sitio contra el cáncer».

Una clase diferente de sitio tuvo lugar en las Escrituras cuando tres ejércitos poderosos, inclinados a la destrucción, se presentaron contra el rey Josafat y el pueblo de Judá. ¿Qué hizo Josafat? Convocó a todo su pueblo de toda la nación, jóvenes y ancianos, para clamar a Dios «en unidad». Al día siguiente, Dios peleó la batalla y destruyó los enemigos de la nación (2 Crónicas 20).

Más adelante en las Escrituras, los discípulos de Jesús experimentaron una crisis emocional. Después de depositar todas sus esperanzas y sueños en su Maestro, su Amigo, fueron testigos de su muerte cruel y luego lo vieron regresar de los muertos solo para volverlos a dejar y ascender al cielo en una nube. Estaban confundidos; pero no se separaron. Se necesitaban el uno al otro. Necesitaban buscar a Dios juntos. Así que se reunieron en el aposento alto y derramaron su corazón ante Dios, le contaron todo lo que les oprimía. Hechos 1:14 dice: «Todos estos perseveraban unánimes en oración y ruego» (RV-60). ¿No es asombroso que Dios pusiera el mundo patas arriba con un puñado de seguidores temerosos que... oraron juntos?

Dios recibe nuestras oraciones corporativas y las responde aunque sea débil nuestra fe. El rey Herodes mandó que arrestaran a Pedro, que lo pusieran en prisión y bajo estricta vigilancia. Sin embargo, la iglesia se reunió a orar de todo corazón. «La misma noche en que Herodes estaba a punto de sacar a Pedro para someterlo a juicio, este dormía entre

¿No es asombroso que Dios pusiera el mundo patas arriba con un puñado de seguidores temerosos que... oraron juntos?

dos soldados, sujeto con dos cadenas. Unos guardias vigilaban la entrada de la cárcel. De repente apareció un ángel del Señor y una luz resplandeció en la celda. Despertó a Pedro con unas palmadas en el costado y le dijo: "¡Date prisa, levántate!" Las cadenas cayeron de las manos de Pedro» (Hechos 12:6-7). Pedro tenía tanta paz que dormía profundamente. Luego de ordenarle a Pedro que se vistiera, el mensajero alado condujo a Pedro fuera de la celda, abrió las puertas cerradas con llave de la prisión y salió con Pedro hasta la calle.

Un grupo de amigos creyentes oraba en ese mismo instante. ¿Cómo lo sabemos? Porque lo dice en Hechos 12: «Entonces Pedro volvió en sí y se dijo: "Ahora estoy completamente seguro de que el Señor ha enviado a su ángel para librarme del poder de Herodes y de todo lo que el pueblo judío esperaba". Cuando cayó en cuenta de esto, fue a casa de María, la madre de Juan, apodado Marcos, donde *muchas personas estaban reunidas orando*» (vv. 11-12, énfasis añadido). No obstante, cuando la respuesta a sus oraciones apareció golpeando a la puerta, le dijeron a Rode, la sierva, que estaba loca (v. 15).

Me identifico con los discípulos, ¿y tú? Muchas veces, cuando Dios responde, me sorprendo.

Liberación del poder

Deuteronomio 32:30-31 brinda una imagen del poder que Dios libera cuando dos o más se reúnen para orar. «¿Cómo podría un hombre perseguir a mil si su Roca no los hubiera vendido? ¿Cómo podrían dos hacer huir a diez mil si el Señor no los hubiera entregado? Su roca no es como la nuestra. ¡Aun nuestros enemigos lo reconocen!»

El pastor Ray Stedman explica el pasaje de esta manera:

Es una proporción bastante extraña, ¿no lo creen? La lógica indica que si uno persigue a mil, dos podrán perseguir a dos mil; lo que no deja de ser un logro asombroso. Sin embargo, ¡la verdad espiritual trasciende la lógica y la aritmética! El Señor dice que cuando dos cristianos se reúnen y buscan el poder de Dios, existe un incremento exponencial en el efecto de sus oraciones. Dos no harán huir a dos mil al pelear, ¡sino a diez mil![1]

Solo piensa, cuando tienes una compañera de oración, llegas a ser diez veces más fuerte.

Cuando una madre me dice que solo tiene una mamá con la cual orar, comprendo su desánimo, pero le digo: «¡Eso es maravilloso! ¡Eres muy afortunada!». Con frecuencia le comento el pasaje de Deuteronomio para recordarle cuánto poder hay en que dos oren juntas. Los grupos de oración pueden tomar diversas formas: un grupo de matrimonios, de vecinos, de solteros, de madres... cada vez que hallamos a otros que tienen nuestras preocupaciones y desean orar, hemos hallado un grupo de oración.

Orar con otros (o con otro) es lo que llamo «oración conversacional de común acuerdo». ¿Qué hace falta para una buena conversación? Escuchar con atención, turnarse, ser consciente de las preocupaciones del otro, no monopolizar, ni conectarse con un mismo asunto. En la oración conversacional de común acuerdo, cada participante ora de la misma manera que en una buena conversación.

La oración en voz alta

La oración de común acuerdo se hace en voz alta. Sé que quienes jamás oraron en voz alta les puede atemorizar la idea. Rosalind Rinker en su libro *Prayer: Conversing with God* nos brinda esperanza.

Cualquiera que pertenece a Jesucristo, que lo confiesa como su Señor y Salvador, puede librarse del temor de orar en público. El primer paso es pedirle que te libere de ese temor. Lee 2 Timoteo 1:7: «Pues Dios no nos ha dado un espíritu de timidez, sino de poder, de amor y de dominio propio» [...] Vamos, tartamudea en tu oración, sigue adelante y clama. Con tu debilidad, tu hermano se fortalecerá [...] A pesar de esto, tu hermano que te escucha y te observa que no eres mejor que él, se fortalece más. Se siente alentado por tus errores de manera que también se encuentra con el Señor en su debilidad [...] Si hago una oración que parece «espiritual», con mucha palabrería, de la que me enorgullezco, ¿a quién beneficio? A nadie, ni a mí ni a mi hermano[2].

Puedes hablar con Dios de la misma manera que conversas con la mujer sentada a tu lado en el grupo. Tienes una conversación con Dios. «Cuanto más natural sea la oración», señala Rosalind Rinker, «más real se vuelve»[3]. Las palabras pomposas son opcionales, pues no forman parte del lenguaje cotidiano que usamos entre nosotros. Y tampoco cuenta la belleza de tus palabras, sino decirlas de corazón.

«¡Casi lo paso por alto!», reconoce Kari. «Una amiga bienintencionada me llevó prácticamente a rastras a Madres Unidas para Orar. Le preocupaba que no podía orar bien. Como nueva cristiana, no era tan buena como estas "guerreras de la oración". ¡Sabía que quedaría en ridículo!

»Gracias a mis nuevas amigas de MITI, ahora me doy cuenta de lo equivocada que estaba. MITI no se trata de juzgar las habilidades para orar del otro. Se trata de orar por nuestros hijos. No se trata de ser elocuente. Se trata de orar por nuestros hijos. No se trata de impresionar a alguien. Se trata de orar por nuestros hijos.

»Casi me pierdo la oportunidad de llevar a cabo lo más importante que puedo hacer por mis hijos: separar una hora a la semana para orar por ellos, por sus maestros y por su escuela.

»El corazón aún se me acelera, me sigo ruborizando y me sudan las palmas de las manos cada vez que oro en voz alta, pero eso no importa. Dios escucha y responde mis oraciones».

Una de nuestras líderes de MITI en Tailandia nos cuenta esta increíble historia: «Invité a una tailandesa que acababa de recibir a Cristo a que asistiera al grupo de MITI (al que llamamos *Maah phu huang yai*: Madres que se interesan mucho). Luego de presentarla a las otras dos mujeres, dijo en voz baja: "Bueno, yo nunca antes he orado en voz alta". Entonces le respondí: "Está bien, puedes sentarte y escuchar si quieres, pero si deseas intentarlo y unirte a nosotras, orar es solo hablar con Jesús con frases simples y palabras sencillas". ¡Esta querida hermana oró en voz alta durante el momento de alabanza, el de acción de gracias y también en el de intercesión! Cuando finalizamos, le pregunté: "¿Qué quisiste decir cuando afirmaste que no sabías orar en voz alta?". Y me respondió: "Cuando era budista, anhelaba orar en voz alta y decirle algo a Buda, pero las palabras jamás salían de mi boca... Hace cuatro días que soy cristiana y durante esta hora las palabras de alabanza, gratitud y de petición a Dios para que ayude a otros solo fluyeron de mi boca. ¡Jamás había experimentado algo como esto!"».

Recuerda: la oración de común acuerdo es hablar con Jesús. Imagínalo en el centro de tu grupo de oración.

La oración motivo por motivo

La oración de común acuerdo implica que se ora *por un motivo cada vez*. En una conversación normal en la que comento: «¿Sabían que mi esposo perdió su empleo esta semana? Estamos muy preocupados por el futuro». ¿Acaso mi amiga diría: «Mi hijo José obtuvo una calificación excelente en su examen final de Español y se recibirá con honores la próxima semana»? Esto no solo refleja insensibilidad, sino que no se puede entablar una buena conversación. Cuando un grupo ora de común acuerdo, todos se concentran en un motivo cada vez y oran por el mismo según les guíe el Espíritu Santo. Una persona puede orar varias veces por el motivo, pero nadie monopoliza la conversación. Una vez que se agota el motivo, puede producirse un silencio mientras el grupo espera que Dios guíe a alguien hacia el siguiente motivo de oración. El nuevo motivo se presenta a través de la oración, no se comenta; se ora.

En el clásico de Evelyn Christenson, *Lo que Dios hace cuando las mujeres oran*, nos dice: «A medida que los participantes aprenden a orar de común acuerdo motivo por motivo, las oraciones ganan velocidad y se vuelven más espontáneas [...] Cuando los del grupo dominan este método, el pulso espiritual palpitará en unidad de tal manera que cada uno sentirá la dirección del Espíritu Santo cuando sea el momento de comenzar con un nuevo motivo de oración»[4].

Nancy, por ejemplo, tiene una carga por su hijo. El grupo oró por él hasta que el Espíritu los guió hacia un nuevo motivo.

Nancy oró: «Amoroso Padre celestial, mi hijo está saliendo con una chica que no es cristiana y ella lo está animando a que participe en actividades que no son buenas. Te pido que la quites de su vida».

La segunda mamá oró: «Señor, abre los ojos espirituales de este muchacho para que pueda ver el camino de destrucción que ha elegido. Te ruego que desee agradarte».

Una tercera mamá oró: «Estoy de acuerdo, Padre. Te pido que intervengas y que hagas cualquier cosa que le impida seguir tomando malas decisiones. Permite que pueda tener un corazón deseoso de agradarte».

La segunda mamá oró: «Y Señor, te rogamos que salves a esta muchacha. Tu voluntad es que nadie se pierda, moriste por ella y le amas. Te pedimos por su salvación».

«Es de mucha ayuda escuchar a las otras madres orar por mi hijo», dijo Debbie, una mamá activa del grupo MITI. «Me ayuda a saber cómo cubrir todos los aspectos de las necesidades de mi hijo. Ellas piensan en cosas que jamás se me hubieran ocurrido a mí».

Una mamá salvadoreña da testimonio del poder de la oración de común acuerdo. «Mi hija, con casi diecinueve años de edad, no deseaba asistir a las reuniones del grupo de jóvenes de la iglesia porque decía que el pastor juvenil era aburrido. Estuve orando sola por este problema y no veía respuesta a mi súplica. Un día decidí orar por esto con una amiga íntima, y a las dos semanas, mi hija me anunció que iría a la reunión de jóvenes. Ya han pasado dos meses y ha asistido con regularidad todos los sábados por la noche e incluso ha animado a otros jóvenes para que asistan».

La oración en armonía

La oración de común acuerdo es una oración con consentimiento. Mateo 18:19-20 declara: «Además les digo que si dos de ustedes en la tierra se ponen de acuerdo sobre cualquier cosa que pidan, les será concedida por mi Padre que está en el cielo. Porque donde dos o tres se reúnen en mi nombre, allí estoy yo en medio de ellos». El consentimiento para orar se refiere a los creyentes que oran en armonía, con una mente y un corazón, y lo hacen juntos bajo la dirección del Conductor, Jesús.

Sharon, una líder de un grupo de Madres Unidas para Orar, sintió una «fuerte impresión» del Espíritu a usar determinado pasaje bíblico sobre sanidad en el momento de intercesión por sus hijos. «Recuerdo que me sentí confundida al pensar por qué esto era tan importante», recuerda Sharon, «porque hasta donde yo sabía, los hijos por los que orábamos gozaban de buena salud. Sin embargo, seguí la dirección del Espíritu. Mientras orábamos por uno de los hijos, una madre comenzó a llorar. Más tarde, me confió que su hijo había nacido con ciertas dificultades motrices y de aprendizaje, y que el pasaje que había orado era el mismo que el Señor le había dado cuando nació el niño. Fue como si Dios le estuviera confirmando esta promesa. Cuando oramos juntos "de común acuerdo", una vez tras otra, el Espíritu nos trae confirmación a través de la oración. Es una clase de aliento que el mundo no puede brindar».

Orar de común acuerdo no significa que uno esté de acuerdo con la opinión o el punto de vista del otro, sino que ambos se ponen de acuerdo para buscar la voluntad de Dios, lo que desea Él.

Si deseamos que el Espíritu dirija nuestras oraciones, debemos asegurarnos que se confiese todo pecado conocido. Por eso el segundo paso en las oraciones de cuatro pasos transformadoras de vidas, la confesión, es vital para hacer oraciones poderosas de común acuerdo. Entonces el Espíritu puede hablar a nuestro corazón y al corazón de Dios. Orar de común acuerdo no significa que uno esté de acuerdo con la opinión o el punto de vista del otro, sino que ambos se ponen de acuerdo para buscar la voluntad de Dios, lo que desea Él.

La oración con sencillez

La oración de común acuerdo es una oración breve, sincera y concisa. ¿Has estado alguna vez en una reunión de oración en la que una persona ora «por todo el mundo», y pasa de un motivo al otro sin darle a los demás la oportunidad de orar? Las oraciones largas hacen que las personas se desconecten, se pierda la unidad y divague la mente. Lo que es más importante, si una sola persona es la que ora, el grupo se pierde lo que el Espíritu Santo desea que se pida por medio de otro miembro del cuerpo.

Si mantenemos las oraciones breves, una o dos oraciones cada vez, eso hace que todos se sientan más cómodos como para sumarse. Les sugiero que sigan el método OSB: Orar Sencillo y Breve.

La oración de manera específica

La oración de común acuerdo es orar de forma bíblica y específica. Las oraciones específicas nos ayudan a organizar ante el Señor lo que pedimos. Las oraciones específicas nos recuerdan la advertencia maravillosa de Santiago: «No tienen porque no piden» (Santiago 4:2). Dios desea que seamos sinceras con Él y que digamos lo que necesitamos y deseamos, pero siempre con un corazón que desea su voluntad por encima de la nuestra.

Pablo es un maravilloso maestro en enseñarnos cómo orar en forma específica. En Romanos 15:30-31, le pide a la iglesia que continúe orando para que Dios lo libere. A la iglesia de Colosas le pide que Dios abra una puerta para su mensaje y que él lo proclamará con claridad (Colosenses 4:3-4). En 1 Tesalonicenses 3:10-11 le pide a la iglesia que ore para que Dios le prepare el camino para ir a verlos. Después ora por los miembros de la iglesia, a fin de que Dios «perfeccione toda disposición al bien y toda obra que realicen por la fe» (2 Tesalonicenses 1:11) y que los fortalezca y los proteja del maligno (2 Tesalonicenses 3:3).

La oración usando las Escrituras es algo poderoso, pues oramos a Dios sus propias palabras a favor de esos por los que intercedemos. Un grupo puede escoger un versículo o una porción de las Escrituras y orar ese pasaje, y pedir que el poder de Dios intervenga de acuerdo a su Palabra.

La primera persona que ora podría decir: «Padre celestial, oro por mi hija Filipenses 2:15, que sea intachable y pura, una hija de Dios sin culpa en medio de una generación torcida y depravada, que brille como una estrella en el firmamento al mantener en alto la palabra de vida».

La segunda persona que ora: «Señor, estoy de acuerdo. Protege a Sara de hacer cualquier cosa que pudiera dañar su reputación como cristiana».

La tercera persona que ora: «Padre, mantenla cerca de tu corazón y protégela de esta generación torcida y depravada».

La segunda persona que ora: «Sí, Señor, y te pido que le des valor para permitir que su luz brille por Jesús por dondequiera que vaya. Que proclame sin vergüenza las verdades de tu Palabra».

La oración según indique el Espíritu

La oración de común acuerdo es una oración dirigida por el Espíritu. El Espíritu Santo en nosotros se mueve en nuestro corazón, inicia nuestras peticiones y nos dice cómo debemos orar. El foco está en Dios y no en la aprobación de los demás. Esto nos da libertad para orar según sentimos que nos guía y elimina los temores que uno siente de orar en grupo. Nadie tiene que «esperar su turno». Nos unimos a la conversación según nos indique el Espíritu Santo.

Una madre confesó: «Muchísimas veces me he trabado con las palabras y lo que dije quizá no tuviera demasiado sentido, pero comprendí que Dios aceptaba lo que le ofrecía y poco a poco comencé a descansar en la dirección del Espíritu Santo y a concentrarme en Dios y no en los que me rodeaban».

La oración conversacional de común acuerdo es un método de oración que revitalizará y pondrá en marcha a tu grupo de oración. El grupo de oración de común acuerdo involucra la oración en voz alta; la oración por un solo motivo cada vez; que se ore estando de acuerdo; que se tengan oraciones breves, sinceras y concisas; que se ore de forma bíblica y específica; y la oración según la dirección del Espíritu.

Una red de fortaleza

Ten presente que tenemos que estar en guardia contra las divisiones; cualquier cosa que quizá se cuele en nuestro grupo de oración y que cause desunión. Dios desea que estemos unidos, como nos recuerdan las Escrituras: «Que el Dios que infunde aliento y perseverancia les conceda vivir juntos en armonía, conforme al ejemplo de Cristo Jesús, *para que con un solo corazón y a una sola voz glorifiquen al Dios y Padre de nuestro Señor Jesucristo*» (Romanos 15:5-6, énfasis añadido). Satanás no desea la unidad porque sabe que así lo vencen. La alianza produce fortaleza.

La oración de común acuerdo crea una red de fortaleza. Nos convertimos en algo similar a las gigantescas secuoyas: fuertes, imponentes y hermosas en su majestad. Estos poderosos árboles se conectan entre sí por las raíces, con las raíces de uno entremezcladas con las raíces de los otros, a fin de formar una red de fortaleza. Los cristianos necesitan darse entre sí el «apoyo de la secuoya» a través de la oración de común acuerdo. Cuando nos unimos en oración, levantando las cargas las unas de las otras, veremos nuevas dimensiones de la fortaleza de Dios.

Comparte las cargas

La oración de común acuerdo de los unos por los otros tiene que ver también con el cumplimiento del mandato de Gálatas 6:2:

Oremos

Busca un alma gemela

¿En qué esfera de tu vida sientes que necesitas apoyo de oración? ¿Tienes un hijo o una hija en el ejército? ¿Te preocupa que tus hijos asistan a una escuela pública? ¿Te gustaría ver que tu esposo crezca en su fe y que la relación de ustedes sea más estrecha? ¿Tienes una carga de orar por los pastores de la iglesia? ¿Por los medios de comunicación? ¿Por el presidente y sus ministros? ¿Necesitas ayuda en cuanto al crecimiento personal, como perder peso o realizar ejercicio físico en forma regular?

Pídele a Dios que traiga a tu mente el nombre de otra persona o personas que tengan la misma carga que tú.

Háblale de tu carga y pregúntale si estaría dispuesta a orar contigo. Luego comprométanse a reunirse a determinada hora una vez a la semana. Sugiero que empleen el formato de los cuatro pasos de oración y los métodos para orar de común acuerdo que se dan en este capítulo. Eso hará que oren y que no conversen. Traten de reunirse para orar, pero si la distancia fuera un inconveniente, pueden orar por teléfono. Las cargas compartidas en oración se vuelven más livianas. Espera con ansias las respuestas.

> **Padre, pon en mi corazón un compañero de oración o un grupo que quiera compartir mi carga y desee orar con otros. Permite que nuestros caminos se crucen y danos un corazón semejante. Pon en cada uno de nosotros el deseo y la determinación de orar por el asunto. Gracias por tu provisión. En el nombre de Jesús, amén.**

«Ayúdense unos a otros a llevar sus cargas, y así cumplirán la ley de Cristo» y de Filipenses 2:4: «Cada uno debe velar no solo por sus propios intereses sino también por los intereses de los demás». ¿Qué tristeza o qué carga te doblega? Cuando alguien ora contigo, sientes aliento y poder. La unidad de pedir juntos es algo que da ánimo, que eleva el espíritu y trae sanidad al corazón y la mente.

«Más valen dos que uno, porque obtienen más fruto de su esfuerzo. Si caen, el uno levanta al otro. ¡Ay del que cae y no tiene quien lo levante! ... Uno solo puede ser vencido, pero dos pueden resistir. ¡La cuerda de tres hilos no se rompe fácilmente!» (Eclesiastés 4:9-10, 12)

Virginia informa esta respuesta de cuando su grupo se reunió para orar: «Hace siete años comencé a liderar un grupo de Madres Unidas para Orar en un instituto con muchos problemas. Participaban ocho madres, y cuando orábamos, siempre teníamos motivos de oración que parecían ser problemas insuperables. Nuestra escuela de mil quinientos adolescentes siempre aparecía en el periódico, y las noticias casi siempre eran malas.

»Entonces Dios volvió el corazón de los estudiantes a Jesús. Un dinámico ministerio local entre los jóvenes comenzó a abrir brechas, y muchos jóvenes que no asistían a ninguna iglesia descubrieron el amor de Jesús y crecieron en su fe.

»Los hijos de dos de nuestras mamás de MITI tenían un papel preponderante en crear y llevar adelante grupos de oración liderados por los mismos estudiantes que se encontraban antes de las clases todas las semanas. Muchos estudiantes que tomaron la decisión por Cristo están en posiciones de liderazgo en los equipos deportivos y dentro del cuerpo estudiantil. Su testimonio es tan grandioso que el año pasado una muchacha de primer año le comentó a la madre: "Todos los chicos populares son cristianos"».

Este grupo de mamás presentó ante Dios asuntos «insuperables» en la oración de mutuo acuerdo y luego observaron cómo Dios transformó el clima espiritual de la escuela.

A veces orar juntos en un grupo trae como resultado la unidad en muchas iglesias dentro de una comunidad. Vreni, que vive en Suiza, fue testigo de esto. «En un pueblito se llevaba a cabo un encuentro informativo de MITI y los esposos deseaban asistir.

Cuando les preguntaron el porqué, respondieron que deseaban saber acerca de este ministerio que hacía que se reunieran sus esposas que eran de distintas iglesias. Estaban asombrados porque las iglesias no se llevaban bien entre sí».

Así como las mujeres de este capítulo pueden dar fe, la oración de común acuerdo es mucho más que varias personas que se reúnen para hacerle peticiones a Dios. La oración de común acuerdo trae como resultado que:

las cargas sean más livianas
la fe aumente a través de las oraciones respondidas
haya un apoyo sincero para cada mamá que sabe que no está sola
exista un lugar para liberar temores
se entablen amistades profundas
uno ame a los hijos de otra mamá
rindamos cuenta de la vida de oración de cada una
nos preocupemos más por los perdidos
se renueve la esperanza en tiempos de desánimo
uno aprenda a escuchar a los demás y al Espíritu Santo
haya paz y expectación
se una el cuerpo de Cristo
uno aprenda cómo orar

Padre amado, a veces siento tantas trabas para orar en grupo que me olvido de los beneficios que me esperan. Ayúdame a seguir adelante a pesar de mis temores, preocupaciones y hasta de mis excusas. Tráeme a la mente que en verdad mis cargas se vuelven más ligeras cuando otra persona me ayuda a llevarlas. Haz que me reúna con otros, Señor, de manera que logremos experimentar el poder de la oración unida. En el nombre de Jesús, amén.

10

Prepárate para la lucha: Oraciones de guerra

Hace algunos años en un caluroso día de verano en California, una niña decidió refrescarse jugando en el mar. Como se apuró para llegar al agua fresca, salió corriendo de la cabaña de su familia frente al mar, dejando al irse sus sandalias y la toalla. Se sumergió en el agua y salió a flote, nadando hasta donde el agua estaba más fría.

Su madre, que observaba desde la casa, divisó la aleta de un tiburón que cortaba la superficie del agua. Aterrorizada, la mamá corrió hacia el oleaje, gritando con todas sus fuerzas y nadando hacia su pequeña. Al escuchar la voz de la madre, la niña giró en U para nadar hacia la orilla.

Demasiado tarde. Justo cuando la mujer alcanzó a la pequeña, el tiburón atacó. La madre tomó a su pequeña de los brazos mientras el tiburón la tomaba de las piernas. Allí comenzó una increíble competencia de fuerza. El tiburón que medía cerca de dos metros tenía mucha más fuerza que la mamá, pero ella era mucho más impetuosa para soltarla. Un pescador, que de casualidad estaba en un bote cercano, escuchó los gritos de la madre, sacó un rifle y mató al tiburón.

De manera excepcional, luego de semanas en el hospital, la pequeña sobrevivió. Tenía las piernas con heridas hasta el hueso. Y en los brazos se veían profundas cicatrices donde la madre le clavó las uñas al aferrarse a su amada hija.

Una reportera de la televisión que entrevistó a la niña después del trauma, le preguntó si podía mostrarle sus cicatrices. La muchachita corrió las sábanas del hospital. Luego dijo: «Pero mira mis brazos. Tengo grandes cicatrices en los brazos también. Estas las tengo porque mi mamá no me soltaba».

Al igual que esa madre que peleó contra un tiburón para salvar a su hija, nosotras como mamás peleamos una guerra espiritual con el enemigo por nuestros hijos. Como dice mi hermana Gayle: «Nuestros hijos tienen hermosas cicatrices porque los sostenemos para salvarles la vida mediante la oración».

La pelea de rodillas

Una guerra se libra por la mente y el corazón de nuestros hijos. No debemos sentarnos en forma pasiva y permitir que Satanás, llamado el ladrón en Juan 10:10, robe, mate y destruya a nuestros seres queridos. Debemos responder con oraciones de guerra. La batalla que libramos por nuestros hijos es de rodillas. Como dice 1 Pedro 5:8: «Practiquen el dominio propio y manténganse alerta. Su enemigo el diablo ronda como león rugiente, buscando a quién devorar».

La batalla que libramos por nuestros hijos es de rodillas.

Una mamá no le soltó su hijo a Satanás. Nos contó cómo clamó con oraciones de guerra por él. Había aceptado a Cristo cuando era un niño, pero durante la adolescencia bebía, se drogaba y vivía al límite. Esta mamá clamó a Dios un sinnúmero de veces: «Padre, tú prometiste salvarnos del maligno». Y luego se dirigía a Satanás: «Satanás, tú no puedes tener a mi hijo. Él pertenece a Jesús. Te ordeno en el nombre de Jesús y en el poder de su sangre preciosa que sueltes la garra que tienes sobre Ben. ¡Déjalo ir! Te hirieron de muerte en la cruz. Jesús es el victorioso y Él tiene la victoria sobre ti en cuanto a mi hijo».

Lo que me resultó más cautivante de su relato fue que cuando oraba no quería un hijo mediocre, tibio, indeciso y que asistiera a la iglesia una vez a la semana. Quería que Ben deseara con fervor servir en el reino de Dios. Ocho años más tarde, Dios respondió su oración de la manera en que había orado. Ben lidera un estudio bíblico y realiza viajes misioneros. Predica y cuenta su testimonio. Muchas personas se entregan al Señor y se consagran por la vida de entrega de Ben.

Sí, la batalla por las almas es intensa y muy real. Dos reinos están involucrados: el reino de las tinieblas, gobernado por Satanás; y el reino de la luz, gobernado por Jesucristo. Todos estamos en un reino o en el otro; no podemos ser ciudadanos de los dos. Cuando una persona acepta a Cristo como Señor y Salvador, ese individuo se transfiere de inmediato del reino de Satanás al reino de Dios. «Él [el Padre] nos libró del dominio de la oscuridad y nos trasladó al reino de su amado Hijo» (Colosenses 1:13).

La guerra no termina cuando nuestros hijos le entregan su vida a Jesús. Satanás no desea que ellos vivan el destino que Dios les tiene preparado; así que debemos permanecer en la lucha a su favor, como hizo Candy por su hija adolescente, Tiffanie.

«Luego de ser salva», cuenta Tiffanie, «tuve que luchar con las consecuencias de mis malas decisiones. Sumida en la depresión y en la confusión, dejé de ir a la escuela con regularidad. Cuando decidí empezar de nuevo, me sentí abrumada. Recuerdo un momento en que estaba aterrada y no paraba de llorar. Entré al baño y saqué una tarjeta que me había dado mi madre. Leí lo que ella estaba orando. "Que Tiffanie sea fuerte y valiente, y ponga manos a la obra. Que no tenga miedo ni se desanime por el tamaño de la tarea, porque el Señor, mi Dios, estará con ella. No la dejará ni la abandonará. Él verá que se termine todo de la manera adecuada (1 Crónicas 28:20)". Dios usó esa oración para darme el valor para continuar».

Y el ganador es...

A pesar de nuestras oraciones, ¿no parece a veces que Satanás estuviera ganando? En la celebración por los diez años de Madres

Unidas para Orar, Evelyn Christenson narró una historia apasionante que refleja cómo va a terminar la guerra.

El señor Das era un administrador del gobierno durante la dominación británica en la India a finales de siglo. Por su empleo había viajado por todo el país. Como no existían hoteles en las áreas remotas, los británicos habían provisto pequeñas casas ubicadas de forma estratégica para alojar a los empleados gubernamentales.

En cierta ocasión, el señor Das y su séquito viajaban por la selva al sur de Calcuta. Como estaba anocheciendo, envió a algunos hombres a que se adelantaran para preparar la casa de la gobernación para su llegada. De repente, uno de los sirvientes salió corriendo de la casa, blanco como un papel e incapaz de articular palabra. Había hallado una serpiente pitón de seis metros enroscada en uno de los muebles.

Una serpiente pitón puede tragarse un venado, un cerdo o a un ser humano entero. Es una mortífera y poderosa serpiente.

El señor Das y sus sirvientes aseguraron todas las ventanas y las puertas encerrándola en el interior y sacaron la caja de municiones. Una sola bala bastaba para matar a una serpiente de ese tamaño, pero solo si le acertaban a la cabeza.

Apuntando con cuidado, el señor Das disparó a la serpiente pitón justo en la cabeza, pero para el asombro de todos no murió. En su lugar, se enloqueció. Hizo trizas las lámparas, tiró todos los muebles y destrozó todo el interior de la casa. Los que la observaban, se quedaron aterrorizados, preguntándose si la serpiente enloquecida fuese a estallar. Luego de una hora y media, la serpiente murió.

El señor Das, que también era un gran predicador, solía relatar la historia de esta serpiente y la explicaba de esta manera: Nosotros, queridos cristianos, estamos viviendo en esa hora y media. Satanás trajo el pecado al planeta tierra, tentó a Adán y a Eva, y el hombre cayó. Sin embargo, el Señor Dios le dijo a Satanás, la vieja serpiente: "Pondré enemistad entre tú y la mujer, y entre tu simiente y la de ella; su simiente [Jesús] te aplastará la cabeza, pero tú le morderás el talón" (Génesis 3:14-15). Dios tenía una "bala" lo bastante poderosa como para matar a esa serpiente, Satanás. Con su hijo, Jesús, colgado de la cruz, Dios el Padre apuntó con cuidado, disparó y le dio a Satanás justo en la cabeza.

Satanás recibió el golpe fatal en la cruz, pero por razones que desconocemos, Dios le ha permitido tener su «hora y media» extra. Con esa bala en la cabeza, Satanás se volvió loco. Está rompiendo y destruyendo todo lo que puede e intenta atraparnos a nosotros.

Estamos en medio de una batalla que se torna cada vez más feroz, pero jamás olvides que ya se dio el disparo fatal. A veces pareciera que Satanás está ganando, pero no es así. Ya se venció y terminará en el lago de fuego para siempre, mientras que a Jesús le reconocerán como el Rey de reyes y Señor de señores.

El plan de batalla del enemigo

Como estamos viviendo en esa «hora y media», debemos conocer las tácticas de nuestro enemigo. La Biblia nos dice que: Satanás es el acusador (Apocalipsis 12:10); Satanás es un asesino y un mentiroso (Juan 8:44); Satanás en un engañador (Apocalipsis 20:10); y Satanás es un ladrón (Juan 10:10).

No he agotado todo lo que dice la Biblia sobre Satanás, pero conocer estas características nos ayuda a estar alertas de manera que no nos tomen por sorpresa ni nos tiendan una emboscada. Nos ayudan a saber cómo contraatacar. Y ese contraataque no se produce en el campo físico, sino en el espiritual. «Pues aunque vivimos en el mundo, no libramos batallas como lo hace el mundo. Las armas con que luchamos no son del mundo, sino que tienen el poder divino para derribar fortalezas» (2 Corintios 10:3-4).

La primera ofensiva de nuestro ataque es orar en el nombre de Jesús. Somos poseedores de todo el poder y la autoridad para resistir a Satanás en el nombre de Jesús (Mateo 28:19-20). Santiago 4:7 nos instruye diciendo: «*Sométanse* a Dios. *Resistan* al diablo, y él huirá de ustedes» (énfasis añadido). En el sometimiento a

Dios miramos hacia arriba y vemos al Todopoderoso, al soberano Creador del cielo y de la tierra, y luego resistimos a Satanás ordenándole que se vaya, «que se pierda». Por medio del poder del Espíritu Santo podemos oponernos, contraatacar, detener, desconcertar y frustrar la oposición de Satanás al orar con la autoridad del nombre de Jesús.

A la mayoría nos han enseñado que debemos finalizar nuestras oraciones diciendo: «En el nombre de Jesús, amén». Sin embargo, ¿te has preguntado por qué recibimos tal instrucción?

Finalizamos la oración con esa frase porque Jesús nos dijo que lo hiciéramos. Juan 14:13-14 nos dice: «*Cualquier cosa* que ustedes pidan [al Padre] en mi nombre, yo la haré; así será glorificado el Padre en el Hijo. Lo que pidan en mi nombre, yo lo haré» (énfasis añadido). No puedo asegurarme nada del Padre celestial en mi propio nombre porque no tiene validez ni autoridad.

Cuando asisto a los partidos de baloncesto en los que mi esposo es el entrenador, le digo al que controla las entradas que soy la esposa del entrenador, ¿y adivinen qué? Entro gratis. Eso no sucede porque me llame Fern, sino porque pertenezco al entrenador y uso su nombre. Cuando acudimos ante nuestro Padre celestial, el nombre de Jesús es nuestra referencia. Jesús es el divino «sí» y el soberano «amén», cuando oramos de acuerdo con su voluntad. Su nombre crea esperanza, nos da confianza, trae milagros, derriba fortalezas, libera a los cautivos y sana a los de corazón quebrantado. Toda autoridad en el cielo y en la tierra está en su nombre (Mateo 28:18).

La segunda parte de nuestra estrategia es la de permanecer firmes en la oración. Efesios 6:10 nos advierte que nos fortalezcamos «con el gran poder del Señor». ¿Cómo? «Pónganse toda la armadura de Dios para que puedan hacer frente a las artimañas del diablo [...] para que cuando llegue el día malo puedan resistir hasta el fin con firmeza» (Efesios 6:11, 13).

Una maravillosa ilustración acerca de permanecer firmes sin importar lo que Satanás nos presente la contó el pastor Tim Sheets.

Jim Hester, un pastor en Arlington, Tejas, relata la historia de un viejo granjero que tenía un pozo mayor de lo normal porque se cavó a mano con pico y pala. Este granjero tenía una mula a la que apreciaba muchísimo y era su orgullo. Un día esta mula se cayó en el pozo. El anciano intentó sacarla por todos los medios. Intentó atarla con sogas para halarla, pero la vieja mula estaba atemorizada y no permitía que ni la soga ni nada se le acercara. Por último, luego de muchas horas de intentarlo de diversas maneras, el granjero se dio por vencido de recuperar su valiosa mula y decidió enterrarla allí mismo en ese momento. Él y algunos hombres que lo ayudaban tomaron unas palas y comenzaron a arrojar tierra sobre la mula que estaba en el fondo del pozo. Sin embargo, en vez de permitir que la enterraran, la vieja mula comenzó a trepar por la tierra y a ponerse encima. Cuando tiraban más tierra, volvía a subir más alto. Por fin, llegó a una altura que le permitió salir de aquel pozo[1].

Después Tim aplicó esta ilustración.

Cuando caemos en alguno de los pozos del diablo y este intenta enterrarnos, necesitamos tomar la decisión de mantenernos como lo hizo la mula. Cuando Satanás nos arroje tierra encima, debemos sacudírnosla y subirnos sobre ella. Al seguir echándonos tierra, debemos aplastarla fuerte y pararnos más firmes. Permitiremos que sus piedras de tropiezo sean nuestros escalones. Por fin, cuando hemos tomado la decisión de ponernos de pie, podemos salir de ese pozo siendo vencedores[2].

Satanás quiso arrojar tierra sobre cierto instituto, pero un grupo de mujeres permaneció firme en oración. Una de las mamás del grupo relata la historia de esta manera: «Mientras nuestro instituto se preparaba para la fiesta de inicio de clases, las mamás de nuestro grupo de oración oramos, como habíamos hecho a menudo en el pasado, que nuestros chicos estuvieran a salvo y que los alumnos del instituto tomaran decisiones sabias. Nuestro grupo hacía años que oraba y pensamos que teníamos la situación bien cubierta en oración.

»Sin embargo, recibimos noticias que estremeció nuestra confianza. Estaban vendiendo y consumiendo nuevas drogas en la escuela, y no solo eran los que catalogábamos "en riesgo", sino también algunos deportistas, estudiantes que eran líderes, animadoras e incluso algunos que decían ser cristianos.

»Las mamás nos preguntamos si habíamos estado lo bastante atentas en nuestras oraciones. ¿Fallaríamos al seguir las instrucciones de Cristo de estar preparadas para que no nos descubrieran durmiendo? Sacudidas, pero con renovados bríos, acudimos a Dios para alabarlo por ser nuestra Roca y nuestra Fortaleza. Al orar, no veíamos a Dios como un refugio, ni un fuerte, sino que comenzamos a verlo como uno que nos brindaba un arsenal de valor y fuerzas para la batalla que teníamos por delante».

Durante varias semanas las mujeres permanecieron firmes en sus oraciones, pidiendo que los estudiantes reconocieran su pecado y se liberaran de la esclavitud de las drogas, que el personal y la administración fueran osados como David mientras se enfrentaban a este problema «gigante», que otras mamás se sumaran a la batalla y no se acobardaran, que todos los padres sintieran la necesidad de buscar a Dios para que protegiera sus hogares, y que los líderes gubernamentales tuvieran la sabiduría y el valor para legislar soluciones.

Un año después que intervinieran en la batalla, las mamás vieron que varios alumnos se inscribían en programas de recuperación de la droga mientras otros trabajaban en una presentación multimedia que exponía los peligros de las drogas populares. Uno del personal administrativo se convirtió en un vocero muy activo contra el flagelo de las drogas y un encuentro antidrogas auspiciado por la asociación de padres y alumnos reunió a doscientos cincuenta padres, así como al alcalde y representantes de la junta escolar, del departamento de policía y del concejo municipal.

«Y lo mejor de todo fue que los tres mil trescientos alumnos de la escuela escucharon a un reconocido orador nacional que los desafiaba a convertirse en la generación que produjera cambios», dice esta mamá. «Después de su presentación, se reunió en persona con varios estudiantes y treinta y ocho chicos aceptaron a Cristo. Como mamás, podemos sentirnos temerosas o abrumadas por los desafíos que enfrentan nuestros hijos, ¡pero Dios es poderoso!»

No luchamos contra nuestros esposos, nuestros hijos, nuestras situaciones, nuestras escuelas (eso es carne y sangre, lo que se ve), sino que luchamos contra las fuerzas del maligno que están detrás de las personas o de las circunstancias.

¿Qué significa para ti «permanecer firme» en la oración? ¿Cómo podrías transformar las piedras de tropiezo de Satanás en escalones que te permitan salir de esa situación?

Además de orar en el nombre de Jesús y de permanecer firme en la oración, *la tercera parte de nuestra estrategia es reconocer que la batalla es espiritual y no física*. Las mamás del instituto infectado de drogas no luchaban contra carne y sangre, «sino contra poderes, contra autoridades, contra potestades que dominan este mundo de tinieblas, contra fuerzas espirituales malignas en las regiones celestiales» (Efesios 6:12). No luchamos contra nuestros esposos, nuestros hijos, nuestras situaciones, nuestras escuelas (eso es carne y sangre, lo que se ve), sino que luchamos contra las fuerzas del maligno que están detrás de las personas o de las circunstancias. Quizá te ayudaría, cuando ores, que visualices los aspectos espirituales de la batalla en lugar de imaginar a las personas o las situaciones que *parecen ser* el problema. De esa manera, el foco de atención de tus oraciones se centrará en las fuerzas del mal que impiden el progreso espiritual.

Aunque no podemos ver al enemigo, o lo que sucede en el campo espiritual, de todas maneras nuestras oraciones producen turbulencia espiritual. Apenas pronunciamos una oración, Dios obra. Hebreos 1:14 nos informa que hay ángeles asignados a nuestro servicio: «¿No son todos los ángeles espíritus dedicados al servicio divino, enviados para ayudar a los que han de heredar la salvación?». En Daniel 10, se nos dice que la respuesta a la oración de Daniel se retrasó debido a que se le opusieron al ángel en una guerra y no pudo traerle la respuesta hasta veintiún días más tarde.

No comprendo todo lo que sucede en el plano espiritual cuando pronunciamos oraciones del tipo: «Señor, debes hacer algo», pero la Escritura nos revela que nuestras peticiones estremecen el cielo y la tierra. Dios reveló al discípulo Juan una hermosa imagen de lo que sucede con las oraciones de los santos.

> Se acercó otro ángel y se puso de pie frente al altar. Tenía un incensario de oro, y se le entregó mucho incienso para ofrecerlo, junto con las oraciones de todo el pueblo de Dios, sobre el altar de oro que está delante del trono. Y junto con esas oraciones, subió el humo del incienso desde la mano del ángel hasta la presencia de Dios. Luego el ángel tomó el incensario y lo llenó con brasas del altar, las cuales arrojó sobre la tierra; y se produjeron truenos, estruendos, relámpagos y un terremoto (Apocalipsis 8:3-5).

Esta descripción es semejante a lo que David describe en el Salmo 18.

> En mi angustia invoqué al SEÑOR; clamé a mi Dios, y él me escuchó desde su templo; ¡mi clamor llegó a sus oídos! La tierra tembló, se estremeció; se sacudieron los cimientos de los montes; ¡retemblaron a causa de su enojo! Extendiendo su mano desde lo alto, tomó la mía y me sacó del mar profundo [...] Rasgando el cielo, descendió [...] Me libró de mi enemigo poderoso, de aquellos que me odiaban y eran más fuertes que yo (vv. 6-7, 9, 16-17).

Jamás dudes de la poderosa respuesta de Dios a tus oraciones. Aunque no veas que algo sucede en el ámbito físico cuando enfrentas al enemigo, cree que algo sucede en el campo espiritual. ¡Se produce una sacudida!

La cuarta parte de nuestra estrategia de oración es tener fe, aun cuando no veamos las respuestas a nuestras peticiones. Me agrada mucho que Dios incluyera la historia de Eliseo y el sirviente en la Biblia. Nos asegura que existe actividad en el mundo invisible. Al ejército sirio lo enviaron a capturar al profeta Eliseo, y su sirviente tenía miedo de lo que le podría pasarle a su señor. Cuando el criado se levantó para salir a ver si se aproximaba el ejército, lo que vio debió de hacer que su corazón latiera más aprisa. Poderosos guerreros, fuertes caballos y carros refulgentes rodeaban la ciudad. Sin embargo, Eliseo vio otra cosa. Le dijo a su sirviente: «No tengas miedo [...] Los que están con nosotros son más que ellos». Luego Eliseo pronunció una oración intercesora de fe por su siervo: «Señor, ábrele a Guiezi los ojos para que vea».

Dios abrió los ojos del criado y esta vez vio las colinas que rodeaban la ciudad llena de caballos y carros de fuego que los protegían a él y a Eliseo. ¡Me imagino la cara de asombro del criado! (2 Reyes 6:12-23).

¡Qué hermoso recordatorio para ti y para mí de que no nos fijemos «en lo visible sino en lo invisible, ya que lo que se ve es pasajero, mientras que lo que no se ve es eterno». ¿No es esta acaso la clase de «visión» que deseas tener como hija de Dios, la visión de alguien que está llena de fe? Entonces, cuando das un paso afuera, como el criado de Eliseo, y ves más allá de la persona o de la situación que tienes delante y por la que estás orando, es cuando comienzas a mirar con los ojos de la fe.

Nuestra quinta estrategia es ponernos toda la armadura de Dios. ¿Te encuentras equipada? Pablo nos dice: «Por lo tanto, pónganse toda la armadura de Dios, para que cuando llegue el día malo puedan resistir hasta el fin con firmeza» (Efesios 6:13).

Cuando mi hijo Travis jugaba en el equipo de fútbol americano del instituto, ni una sola vez lo vi a él ni a alguno de sus compañeros salir al campo de juego sin el atuendo correspondiente. Estoy segura que nunca dijeron: «Es mucho trabajo ponerse todo este equipo. Mejor juguemos en camiseta, vaqueros y zapatillas».

Al igual que ninguno de nosotros pensaría en salir de casa sin vestirnos o con solo un cinturón puesto, tampoco nadie debería siquiera pensar en participar en una guerra espiritual sin ponerse toda la armadura que nos ha dado Dios.

Así que el pastor Charles Stanley nos recuerda que conocer acerca de la armadura no es una solución mágica. Memorizar las partes de la armadura te ayudarán a ponértela todos los días[3]. La armadura de Dios es la provisión total y completa para luchar en una guerra espiritual de manera eficaz.

¿Dedicarías unos minutos a orar por la armadura? Podríamos iniciar este hábito ahora mismo.

Sugerencias de oraciones:

Para comenzar:

> *Padre celestial, te doy gracias porque tu voluntad para mí es que sea fuerte en ti y en el poder de tu fuerza. Me regocijo de que por fe puedo ponerme la armadura que proveíste para mí, a fin de protegerme de las tácticas y los planes de Satanás. Debido a que mi lucha no es contra sangre y carne, sino contra poderes, contra autoridades, contra potestades que dominan este mundo de tinieblas y contra fuerzas espirituales malignas en las regiones celestiales.*
>
> *Ahora, Señor, por medio de tu Hijo me pongo toda la armadura para que cuando llegue el día malo, pueda resistir hasta el fin con firmeza. Por tu gracia ilimitada, ayúdame a resistir los ataques de Satanás.*

Cinturón de la verdad

Manténganse firmes, ceñidos con el cinturón de la verdad. (Efesios 6:14)

Amado Jesús, me pongo el cinturón de la verdad. Te ruego hoy que pueda actuar con integridad en todos mis caminos y que hable la verdad. Líbrame de decir, o siquiera sugerir, algo que no sea verdad. Ayúdame a discernir y reconocer las mentiras de Satanás. Que no haya en mí engaños ocultos ni motivos impuros. Te pido que la verdad que digo a los demás la experimente en mi propia vida. Deseo vivir cada momento solo en la verdad de tus palabras.

Coraza de justicia

[...] protegidos por la coraza de justicia. (Efesios 6:14)

Gracias por la justicia de Cristo que se me diera en el momento de mi salvación. Debido a este maravilloso regalo de la salvación, me presento ante ti cubierta por la sangre de Jesús, y me maravillo en la verdad de que me ves como si fuera perfecta. Me gozo en que no ves a ninguno de los que te aman como culpable. Ayúdame a agradarte en todo lo que hago. Te ruego que me ayudes a no ser tercamente orgullosa, lo que evitaría que confesara mi pecado en el momento en que me lo revele el Espíritu Santo. Gracias porque la coraza me da el valor de saber que Satanás debe apartarse de quienes caminan con rectitud.

El evangelio de la paz

[...] y calzados con la disposición de proclamar el evangelio de la paz. (Efesios 6:15)

Amado y soberano Dios, qué increíble es poder tener paz contigo por medio de Jesús. No hay nada más maravilloso que saber que todo está bien entre mi Dios y yo. Es una bendición que no puede expresarse con palabras. La seguridad de la vida eterna trae una dulce paz a mi corazón. Gracias por tu promesa de darme tu paz cuando no me afano, sino al presentarte mis necesidades. Gracias por la paz que siento al saber que Jesús que está en mí es mayor que el que está en el mundo. Me gozo al saber que en medio de un mundo convulso, puedo permanecer firme en estas verdades y colocar a Satanás bajo mis pies.

El escudo de la fe

Además de todo esto, tomen el escudo de la fe, con el cual pueden apagar todas las flechas encendidas del maligno. (Efesios 6:16)

Mi Dios fiel, gracias por la promesa de que el escudo de la fe apagará todas las flechas encendidas del maligno. Tú eres mi escudo. En el Calvario recibiste todas las flechas que me correspondían. Ayúdame a tener fe en ti y solo en ti. Deseo una confianza inquebrantable de que no solo puedes librarme, sino que me librarás de los ataques del maligno. Gracias por la promesa de que el enemigo no podrá frustrar tus planes para conmigo. Padre, ayúdame cuando las dudas y las acusaciones de Satanás vengan hacia mí a levantar mi escudo de la fe y a vencerlo con la verdad de tu Palabra.

El casco de la salvación

Tomen el casco de la salvación. (Efesios 6:17)

Amado Señor y Salvador, me regocijo en la seguridad de mi salvación. Te agradezco porque al ser salva se me ha dado la mente de Cristo. Gracias porque el casco de la salvación protege y cubre mi mente de las acusaciones y los ataques de Satanás. Ayúdame a renovar mi mente con el poder transformador de tu Palabra, de manera tal que cuando Satanás venga contra mí con sus mentiras, no esté desarmada. Quiero tener los pensamientos buenos. Permite que tenga los pensamientos de Jesús y sea capaz de discernir su voluntad en todas las cosas. Te pido que guardes mis pensamientos e ideas vanas. Que cada pensamiento vaya cautivo a la obediencia de Cristo. Someto mi mente, mi voluntad y mis emociones a la autoridad de tu Espíritu. Exalto tu santo nombre por el casco de la salvación, pues a Satanás se derrota cuando viene contra una mente «salvada».

La espada del Espíritu

[...] y la espada del Espíritu, que es la palabra de Dios. (Efesios 6:17)

Querido Padre, te doy gracias por la veracidad infalible de tu Palabra. Que ella habite en mí de forma abundante. Que mi boca sea más dulce que la miel. Te pido que tu Espíritu Santo me dé un amor insaciable por tu Palabra. Señor, que nada me aparte de leer y obedecer tu Palabra. Ayúdame a guardarla en mi corazón para que cuando sea tentada, pueda acallar a Satanás con las palabras que usó Jesús: «Escrito está». Tu Palabra es más cortante que una espada de dos filos, y espero que se produzcan grandes victorias cuando la use. Me gozo y celebro que Satanás deba retirarse cuando se aplica tu Palabra en su contra. ¡Aleluya!

¿No es interesante que la espada del Espíritu sea la última pieza de la armadura que se enumera en Efesios? Quizá sea porque es la única arma ofensiva de la armadura. Es la Palabra viva, poderosa, eficaz e instructiva. Para ser victoriosos, debemos usarla en la batalla.

Ahora que te pusiste la armadura, ¿qué te indica Pablo que hagas? ¡Que ores! «Oren en el Espíritu en todo momento, con peticiones y ruegos. Manténganse alerta y perseveren en oración por todos los santos» (Efesios 6:18). La oración no es la preparación para la batalla; esa *es* la batalla.

Ponerse la armadura junto con su grupo de oración era la fuente de poder de una mamá para una oración de fe. Cuando el hijo de Kathy estaba en segundo año del instituto, desarrolló una depresión debilitante. Lo habían acusado de algo en lo que no tuvo nada que ver y a menudo uno de sus profesores se centraba en ponerlo en ridículo delante de la clase. Una mañana no pudo levantarse de la cama y le dijo: «Mamá, me siento como si estuviera en un pozo y la gente me mirara desde el brocal, pero sin nadie que quiera ayudarme. Apenas puedo respirar».

Kathy y su esposo buscaron un consejero cristiano para su hijo. El apoyo imparcial del consejero comenzó a darles esperanzas de que su hijo podría salir de la depresión. Para ayudarlo más, lo cambiaron a una nueva escuela donde tuviera la oportunidad de «volver a empezar».

Sin embargo, Kathy percibe que la acción más importante fue la de pelear en oración por su hijo. La persona que lideraba junto con ella el grupo de oración le dio un pasaje de las Escrituras que decía que Dios pelearía por su hijo. «Extendiendo su mano desde lo alto, tomó la mía y me sacó del mar profundo. Me libró de mi enemigo poderoso, de aquellos que me odiaban y eran más fuertes que yo. En el día de mi desgracia me salieron al encuentro, pero mi apoyo fue el Señor» (Salmo 18:16-18).

Kathy le mostró los versículos a su hijo y agregó: «Mi amor, cuando te sientas deprimido, todo lo que necesitas saber es que Dios tiene la mano extendida y que te sacará de allí».

La batalla no ha terminado en esta familia, pero el hijo de Kathy cree que la oración es poderosa y que Dios podrá rescatarlo cuando lo ataque el enemigo. Poco a poco va saliendo de su depresión y Kathy sigue batallando por él a través de la oración.

Como Kathy, necesitamos contar con una estrategia de oración bien planificada a fin de pelear contra Satanás y sus astutas artimañas. Esa estrategia incluye: orar en el nombre de Jesús, permanecer firme en la oración, reconocer que es una lucha que se libra en el plano espiritual más que en el físico, tener fe y ponerse toda la armadura, cada día.

«El hombre nace para sufrir, tan cierto como que las chispas vuelan», dice Job. Todas las mamás desean lo mejor para sus hijos, pero la madre sabia se viste con la armadura de Dios. Su armadura nos posibilita entrar en la batalla por nuestros hijos cuando encuentran dificultades y cuando peleamos contra Satanás para guardarlos de las dificultades. La Palabra de Dios nos promete la victoria. Por último, el deseo de cada corazón es que podamos pelear la buena batalla, con el propósito de ser merecedoras del título: «guerrera de oración».

Señor, ayúdame a ser diligente en ponerme la armadura y que me dé cuenta de que me capacita para tener un tiempo de oración lleno de poder, de modo que me acerque con audacia ante ti. Cuando me sienta cansada de la batalla, ayúdame a darme cuenta que la victoria es mía gracias a ti. Que pueda hallar los mecanismos para transmitirles a mis hijos la importancia de que se vistan con toda la armadura. Que nunca olvide que tú no me diste «un espíritu de timidez, sino de poder, de amor y de dominio propio [...] [y que me capacitas para expresar] nuestros sentimientos como buen soldado de Jesucristo» (2 Timoteo 1:7; 2:3). En el nombre de Jesús, amén.

11

Oración por nuestras escuelas

Denise, una maestra de segundo grado de una escuela pública, elige a tres alumnos cada día para que se pongan de pie y cuenten algo que les parece especial. La mayoría trae algún elemento o algo por el estilo sobre lo cual hablar.

Un lunes le tocó el turno a una pequeña. Pasando al frente de la clase, Moriah estaba radiante, pero tenía sus manos misteriosamente vacías. Denise le preguntó a Moriah si estaba lista para contar algo y la niña asintió.

Entonces explicó que Dios era ese algo especial del que deseaba hablar. Les dijo a todos cómo le entregó su corazón a Jesús y cómo la hacía sentir especial pasar tiempo con Él. Les dijo cuán importante era hablar con Dios todas las noches. De lo hermoso que era tener la promesa de Dios de que viviría para siempre en el cielo y cómo Él le estaba construyendo una casa solo para ella.

La última cosa de la que Moriah dijo que quería hablarles era su canción preferida sobre Dios. Con su voz suavecita y un poco fuera de tono, cantó «Admirable es nuestro Dios». Apenas había comenzado cuando para asombro de Denise casi todos los alumnos se pusieron de pie y cantaron junto con ella. Alzaron las manos en adoración e incluso los niños que no conocían la canción también levantaron las manos.

Denise comentó: «Al ver a los niños cantar no pude contener las lágrimas. Alababan a Dios en mi aula». Cuando cantaron tres veces la canción, los chicos prorrumpieron en una ovación.

Moriah y sus compañeros declaraban en la canción que nuestro Dios admirable reina con poder, sabiduría y amor. ¡Y pensar que eso sucedió en una escuela pública! Mientras que los que aman a Jesús estén en nuestras escuelas, allí habrá luz. Cuánto agradezco a Dios por todas las Moriah que existen en las escuelas que aman a Jesús y desean decírselo a los demás.

La única esperanza es orar

Sí, la educación pública tiene problemas, pero Dios no se ha dado por vencido en nuestras escuelas y nosotros no deberíamos hacerlo tampoco. Según el centro nacional de educación, en los Estados Unidos durante el año 2001 más de cuarenta y siete millones de niños asistieron a la escuela pública[1]. ¿Quiénes van a orar por todos esos niños? Las mamás lo harán. Logras influir en el ambiente moral y espiritual de las escuelas a las que asisten tus hijos a través de la oración.

El doctor James Dobson, presidente de Enfoque a la Familia, afirma: «Cuando observas los problemas actuales de las escuelas, cuando uno ve el nivel de violencia, las cosas que los niños ven fuera de clases, las cosas que pasan en la televisión que provienen de los bajos fondos [...] cuando uno ve todo esto, no hay otra solución, no hay más esperanza que orar, y eso es lo que nos lleva a ponernos de rodillas»[2].

Cómo pueden las mamás que oran transformar las escuelas

Las mamás son el muro de protección de oración que rodea nuestras escuelas. Nos identificamos con Nehemías y la tristeza que sentía por tener los muros en ruinas. A decir verdad, lloró al enterarse de que los muros de Jerusalén eran escombros. ¿Por qué? Porque las murallas en los tiempos bíblicos brindaban fortaleza y protección. Los muros fortificados hacían que el enemigo no pudiera entrar a la ciudad. Con las murallas destruidas, Nehemías sabía que Jerusalén estaba expuesta al enemigo, vulnerable, sin ayuda, en vergüenza y desgracia. El resto del mundo miraba a Israel como si tuvieran un Dios débil.

Al mirar nuestras escuelas hoy en día, podemos observar que se han derribado las murallas espirituales. Aunque construyamos edificios escolares mayores y mejores, las murallas espirituales yacen en ruinas. El enemigo tiene libre acceso a nuestras escuelas. ¿Nos hace esto llorar como lo hizo Nehemías cuando presenció la destrucción?

Gracias a Dios, al igual que las murallas de Jerusalén, las que protegen a nuestras escuelas también se pueden reconstruir mediante el poder de la oración. Imagina conmigo a las mamás de toda nación, todo pueblo, todo idioma, juntas, hombro con hombro, tomadas del brazo y formando una muralla fortificada de oración. Cada mamá ocupa su puesto en esa muralla para enfrentar los ataques de Satanás contra esa escuela. Eres necesaria. Se debe proteger cada parte de la muralla. Sin brechas, sin que falten ladrillos.

Dios dice: «Busqué entre ellos un hombre que levantara una muralla y que se pusiera en la brecha delante de mí, a favor de la tierra» (Ezequiel 22:30, RV-95). ¡Qué privilegio tenemos de construir la muralla, de ponernos en la brecha, a favor de nuestras escuelas! «Reparador de muros derruidos»... ¿no es este un maravilloso título para una mamá? (Isaías 58:12).

Las mamás que oran «unieron la acción [orar] a la palabra [...] [y trabajaron] con entusiasmo» (Nehemías 2:18; 4:6). Pablo llama a la oración una «preocupación» y una «lucha» cuando dice de Epafras: «Este siervo de Cristo Jesús está siempre luchando en oración por ustedes, para que, plenamente convencidos, se mantengan firmes, cumpliendo en todo la voluntad de Dios. A mí me consta que él se preocupa mucho por ustedes» (Colosenses 4:12-13).

Así como el enemigo vino contra Nehemías, provocándolo y burlándose con que la muralla no se podría reconstruir, de la misma manera viene contra nosotras para desanimarnos en esta grandiosa tarea. Sin embargo, Dios frustrará los planes de Satanás si nosotras no abandonamos nuestro lugar en la muralla.

¿Por qué deberías orar? ¿Cómo puedes añadir ladrillos al muro? A continuación, en *cursivas*, se sugieren algunas oraciones. Tenemos el llamado a esa tarea sencilla, pero poderosa: orar. A continuación de cada oración relaté ejemplos de cómo Dios respondió en las escuelas por las que oraron las mamás. Permite que cada historia anime tu corazón porque, en la escuela de tu hijo, Dios quiere usarte como «albañil».

Señor, te pido que unas a los jóvenes cristianos para que proclamen tu nombre.

Padre santo, protégelos con el poder de tu nombre, el nombre que me diste, para que sean uno, lo mismo que nosotros. (Juan 17:11)

Muchas mamás que envían a sus hijos a la escuela pública tienen miedo. Terri nos cuenta cómo halló paz en cuanto a su hijo. «Mi hijo mayor había estado en una escuela cristiana o se había educado en casa, pero este año hemos estado orando para enviar a nuestros hijos a la escuela pública. Le temíamos a la escuela pública y al efecto que quizá tuviera sobre nuestros hijos. Sin embargo, ¿quién sería la luz de todos esos niños si todos los padres cristianos sacan a sus hijos de allí? Confiamos en que nuestros hijos producirán un cambio en los niños que los rodean y no al revés».

Y Dios está uniendo a los niños cristianos no solo en sus escuelas, sino que también los reúne en encuentros zonales para estudiantes del instituto y la universidad, así como en conferencias a escala nacional. En el año 2000, en Los Ángeles y en Washington, D.C., veinte mil adolescentes y jóvenes se comprometieron a ser «misioneros en su escuela» al resonante grito de: «¡Yo iré!».

En Chico State, California, varias organizaciones que, por delegación de la iglesia, cooperaron en la organización de una campaña evangelística. «Estoy de acuerdo con Rich», proclamaban las camisetas anaranjadas que más de cuatrocientos estudiantes usaron durante una semana. La campaña culminó con Rich

Thompson, un estudiante de segundo año, que dio su testimonio en el área de libertad de expresión en su escuela.

Sin embargo, se levantó la oposición y apareció en Internet una parodia ridiculizando la campaña. Los creadores de la parodia invitaban a los estudiantes a que asistieran al área de libertad de expresión a fin de expresar su oposición.

Las mamás oraron para que Dios les diera a los cuatrocientos estudiantes con la camiseta el valor de usarlas todos los días y pidieron que Dios le diera a Rich la capacidad de proclamar la verdad con humildad, audacia y claridad. Y que no hubiera oposición.

Los cristianos de otras universidades adoptaron la idea de hacer campañas usando camisetas con inscripciones. Camisetas con la inscripción «Un cuerpo traspasado me salvó la vida» se vieron en la universidad de California en Semana Santa. «¿Quién crees que soy?», decían las camisetas basadas en Lucas 9:20 que proclamaban a Cristo en la universidad de California en Santa Bárbara. Un grupo de universitarios de la iglesia recibió el permiso para reunirse en uno de los recintos y doscientos jóvenes se manifestaron. Y las mamás oraron cada vez.

Ora para que tus hijos sean audaces para hablar de su fe. Pide que puedan presentar las buenas nuevas de la resurrección de Jesús a sus compañeros de clase de manera amable y sensible.

Padre, te pido que la próxima generación, incluso mi hijo, sean personas de oración y que puedan permanecer firmes para ti en sus universidades.

Oren en el Espíritu en todo momento, con peticiones y ruegos. Manténganse alertas y en oración por todos los santos. (Efesios 6:18)

El movimiento *See You At The Pole* [Nos vemos en el asta] se inició en 1990 con treinta y cinco estudiantes en Tejas. Millones de adolescentes y jóvenes se reúnen alrededor del asta de la bandera de su escuela para orar: «Señor, danos pasión por ti; salva a nuestros amigos; protégenos del maligno; protege nuestra escuela»[3].

En una escuela en California un joven llevó entre doscientos y trescientos folletos de «Connecting with God» publicados por Cruzada Estudiantil y Profesional para Cristo a los encuentros de *See You At The Pole* de su escuela. Les explicó a los que oraban que les dieran esos folletos a sus amigos cuando les preguntaran por qué oraban. Se les entregaron todos los folletos, y a lo largo del día, vio que los chicos se los daban a sus amigos. El evangelio se esparció por toda la escuela ese día.

Cinco muchachos cristianos comprometidos se reunían cada semana para orar por sus amigos y compañeros que no eran salvos. Cuando uno de ellos aceptaba a Cristo, encerraban el nombre de esa persona con un círculo rojo y agregaban otro nombre por el cual orar.

La oración espontánea surgió en Misisipí cuando algunos estudiantes en un partido de fútbol se tomaron de las manos en las graderías y comenzaron a repetir el Padrenuestro. Cuando llegaron a «líbranos del maligno», se les habían unido cuatro mil quinientas personas.

La oración recorre los pasillos de nuestros institutos cuando los estudiantes se arrodillan junto a sus armarios y oran durante treinta segundos por su escuela. Tom Sipling, fundador de *30 segundos de rodillas*, dice: «Creo que veremos hechos increíbles y sobrenaturales por medio de esta generación»[4].

Los cristianos inician grupos de oración en los dormitorios y en las asociaciones estudiantiles con la meta de cubrir a cada alumno con oración. Los estudiantes de una universidad de Florida están a punto de cambiar la reputación de ser una escuela de fiestas a ser una de oración.

¿Qué podría suceder en la escuela de tu hijo?

Padre, te pido que nuestra escuela esté dirigida por valores bíblicos y altos valores morales; que tu Palabra pueda regresar al aula de mi hijo.

Espero al SEÑOR, lo espero con toda el alma; en su palabra he puesto mi esperanza. (Salmo 130:5)

El consejo nacional de currículo bíblico ofrece cursos bíblicos certificados por el estado para los institutos públicos. El Tribunal Supremo estableció que es legal usar la Biblia como libro de texto en historia y literatura. Como resultado, más de dieciocho mil estudiantes del instituto en veintiocho estados de los Estados Unidos han tomado el curso de Biblia optativo[5].

En Fort Gibson, Oklahoma, los sesenta y seis libros de la Biblia figuran en la lista de libros para el lector veloz de una escuela pública, por lo que se necesitaron cuarenta Biblias en la biblioteca debido a la demanda. Y todo esto fue gracias al esfuerzo de dos niñas de cuarto grado y su maestra cristiana. «La Biblia tuvo muchísimo éxito entre los niños», relata la maestra. «No es extraño ver Biblias en los recreos o en la cafetería. Llevan las Biblias a su casa y conversan de ella con los padres»[6].

Las verdades bíblicas también regresan al aula a través del ministerio de Eric Buehrer, *Gateway to Better Education* [pasaporte a una mejor educación]. Esta organización ha creado unas tarjetas de restauración de los feriados a fin de ayudar a los maestros a entender cómo pueden enseñar en el aula los aspectos religiosos de festividades como el Día de Acción de Gracias, Navidad y Semana Santa.

Una mamá californiana escribe: «Anoche, en nuestra reunión de la Asociación de Padres y Maestros, el director nos anunció que el superintendente de nuestro distrito y la junta escolar decidieron imprimir la Regla de Oro (Mateo 7:12) para colocarla en cada aula del distrito. También decidieron integrar al programa el currículo del plan basado en seis pilares del carácter de la persona, y el director de la secundaria de mi hijo me mostró tres pasajes de las Escrituras que estaban analizando para publicarlos en el boletín mensual del distrito».

En el instituto Central Cabarrus en Concord, Carolina del Norte, los consejeros guía tuvieron que decirle a cien alumnos que no podrían tomar clases bíblicas durante ese año. ¿El motivo? No había más vacantes[7].

¿Qué oraciones específicas puedes hacer que traigan de nuevo la influencia de Cristo a la escuela de tu hijo? ¿Qué desafíos enfrentas que necesitan presentarse a Dios en oración?

Padre, te pido que mi hijo permanezca puro hasta el matrimonio y que en el aula enseñen la abstinencia.

No formen yunta con los incrédulos. (2 Corintios 6:14)

La voluntad de Dios es que sean santificados; que se aparten de la inmoralidad sexual; que cada uno aprenda a controlar su propio cuerpo de una manera santa y honrosa, sin dejarse llevar por los malos deseos como hacen los paganos, que no conocen a Dios; y que nadie perjudique a su hermano ni se aproveche de él en este asunto. (1 Tesalonicenses 4:3-6)

¡Qué emoción cuando miles de jóvenes recibieron con entusiasmo la campaña de «El verdadero amor espera» y se comprometieron a mantener la pureza sexual!

Cuando su hija se hizo mujer, Jan invitó a su adolescente de trece años a almorzar y se alegró con ella por el privilegio de ser una mujer y que Dios estuviera preparando su cuerpo para algún día ser mamá. Jan la animó a hacer un pacto con Dios de mantenerse pura hasta el matrimonio. La promesa se sella con un anillo. La hija estuvo de acuerdo. Luego de almorzar, Jan la llevó a una tienda para escoger un anillo que usaría hasta su noche de bodas. En esa noche le entregaría el anillo a su esposo como un símbolo de que era un regalo que solo abriría él.

Jan relató: «Muchas oraciones se elevaron a su favor, a fin de que pudiera mantener esa promesa hecha ante el Señor. Y la cumplió al darle el anillo a su novio en la noche de bodas».

Durante la participación de Lin en la Asociación de Padres y Maestros, a finales de los años 80, se enteró de una nueva ley estatal que requería que se impartiera todo el programa de educación sexual desde el punto de vista de la abstinencia, en vez de hacerlo desde la perspectiva del sexo seguro. Le pidió a su grupo de oración que intercediera por ella mientras sometía a consideración esta nueva ley ante la junta escolar.

La junta escolar le pidió que formara parte del comité para supervisar la implementación de esta nueva ley. De modo que evaluó cada vídeo y publicación que se usaba en el programa de educación sexual en la escuela. Muchos de los materiales no cumplían con los requisitos de la ley. Al informar de esto a la junta escolar, algunos de sus miembros se sorprendieron por el material que había estado empleando el distrito.

En la actualidad, este distrito escolar está entre treinta y tres por ciento de los distritos de todo el país que usan un programa de educación sexual basado en la abstinencia. Eso significa que no les enseñan a los estudiantes cómo usar preservativos u otros métodos anticonceptivos. Se les enseña a abstenerse de las relaciones sexuales hasta el matrimonio. De la anticoncepción solo se habla para referirse a las fallas que presenta cada método y se les recuerda a los alumnos que la abstinencia es el único método de control de la natalidad con el máximo de seguridad. Lin atribuye la adopción de este programa a las mamás que oraron con fidelidad por ella durante su participación.

Percátate, si no lo has hecho aún, de lo que tu escuela les enseña a tus hijos. Usa la información que recabas como fuente de motivos específicos de oración.

Padre, alienta a los maestros mediante mis palabras y hechos, pero sobre todo a través de mis oraciones.

Y todo lo que hagan, de palabra o de obra, háganlo en el nombre del Señor Jesús, dando gracias a Dios el Padre por medio de él. (Colosenses 3:17)

Este testimonio tocó en verdad mi corazón: «Durante los últimos cinco años, enseñé en una escuela que cambió de manera drástica por el poder de la oración. Durante mi primer año [...] todos nos sentíamos derrotados de manera física y emocional, maestros y alumnos por igual. Entonces sucedió algo maravilloso. Un puñado de mamás cristianas de nuestra escuela inició un grupo de oración. Se produjo una diferencia notable en la atmósfera de la escuela como resultado de las oraciones».

Casi siempre el personal docente ve a las mamás que oran como amigas y nos buscan por oración. Linda cuenta una de sus respuestas favoritas a la oración. «Una de nuestras mamás hablaba por teléfono con uno del personal docente antes de nuestra oración. Esta persona nos pidió que oráramos por un problema de drogas. Sabían que había doce estudiantes traficando con drogas en la escuela, pero no habían logrado atraparlos en el acto, ni tenían evidencia que lo documentara. Nos pidieron que orásemos para que pudieran atraparlos.

»Enseguida nos pusimos a orar. Oramos para que descubrieran a esos jóvenes, pidiendo al Señor que dejara al descubierto las tinieblas. También pedimos que llegaran conocer a Jesús como su Salvador personal.

»Esa misma noche, una de nuestras mamás recibió una llamada de la persona que nos pidió oración. "Señoras, ustedes tienen línea directa con el cielo. A menos de quince minutos después que les pidiera oración, un estudiante vino a decirnos dónde estaban los vendedores de drogas".

»La policía y el personal de seguridad de la escuela rodearon la casa donde estaban consumiendo los doce vendedores de droga y varios estudiantes. Los arrestaron a todos y los llevaron al centro correccional de menores».

Muchos jóvenes allí llegan a conocer al Señor por medio de algún empleado del lugar. Así que Dios colocó a los nuevos detenidos en un sitio en el que escucharan de Él.

Padre, te pido que cubras las necesidades de los niños con problemas a través de sus maestros y otros recursos.

Buscaré la perdida, haré volver la descarriada, vendaré la perniquebrada y fortaleceré la enferma. (Ezequiel 34:16, LBLA)

Durante dos semanas mi hijo Travis fue maestro suplente de un grupo de chicos de sexto grado de un correccional. Eran niños que estaban en un remolque, apartados del recinto principal. Eran los olvidados, los marginales, los que creaban problemas, los malos. Cuando Travis contaba historias acerca de estos muchachitos, me desconsolaba: lenguaje soez que salía de sus labios, algunos se drogaban, eran peligrosos, rudos, irrespetuosos, con baja autoestima y muy perdidos.

No todos los chicos tienen una mamá que ore por ellos. Hace poco les hablé a un grupo de trescientos estudiantes del instituto en una conferencia juvenil cristiana. «Puede que algunos no tengan una mamá que ore por ustedes», les dije. «Si desearas que alguien orara por ti, con mucho gusto lo haría en forma personal». Después de la reunión, me asombró ver a muchos jóvenes que formaban una fila para recibir la oración de una mamá sustituta.

Las lágrimas brotaban de sus ojos al relatarme sus historias de mamás que no eran salvas o de relaciones tensas. Jamás olvidaré a un joven que me pidió que orara para que no odiara a su mamá. Sollozaba mientras oraba por él.

¿Hay en la escuela de tu hijo un aula de niños problemáticos? ¿Cuántos niños de la escuela de tu hijo no tienen a nadie que ore por ellos?

¡Qué increíble oportunidad para orar! Puedes pedir que la luz de Jesús brille y penetre la oscuridad de los niños con problemas. Ora por la salvación de los niños. Ora para que Dios provea de un maestro o un asistente con sabiduría, fuerzas y amor por los niños que nadie ama. Ora por la maestra de esa aula que tiene que luchar con esos niños día tras día. Ora por los niños que necesitan la atención de una mamá que ore para que Dios los rodee con su amor y que ellos sepan que Él está presente y los cuida.

Padre, te pido que hagas que los maestros y directivos cristianos se reúnan para orar.

Porque donde dos o tres se reúnen en mi nombre, allí estoy yo en medio de ellos. (Mateo 18:20)

Julie, una maestra cristiana, nos cuenta cómo se inició un grupo de oración de maestras en su escuela. «La reunión en el Día Nacional de Oración me generó un interrogante: ¿Por qué no seguir orando de manera regular? Una de mis amigas participaba en un grupo de MITI y pensé: ¿Por qué no hacer lo mismo con la diferencia de que seríamos maestras que orábamos por nosotras y nuestros alumnos? Todas las semanas nos reuníamos a orar unos veintidós docentes. Y cada semana, a través de nuestro tiempo de oración, Dios ratifica nuestro llamado de amar a nuestros alumnos y ayudarlos a ver lo especiales que son y el maravilloso plan que Dios tiene para cada uno de ellos. Este es nuestro campo misionero y es la oración la que libera el poder de Dios para que obre en la vida de nuestros alumnos.

»Cuando en la escuela de mi hija comenzaron un grupo de MITI, me les uní enseguida. Me enviaron una tarjeta que decía: "Si no oras por tu hijo, ¿quién lo hará?". En mi escuela podemos decir: "¡Las maestras lo hacemos!"».

Lo asombroso de ser una reparadora de brechas en los muros de nuestra escuela es que las oraciones repercuten en formas que una no sospecharía jamás.

Una mamá de Washington relata esta historia: «Una pandilla comenzó a frecuentar un camino cercado que conducía a nuestro instituto. Nuestro grupo de oración había estado orando durante cuatro años para que Dios hiciera algo al respecto. Y Dios respondió. Estos pandilleros se metieron en problemas por los grafitos que hicieron en los muros y les ordenaron limpiarlos. Cuando el esposo de una de las mamás de nuestro grupo se enteró, sugirió que él y algunos amigos fueran a ayudarlos con la limpieza.

»Los integrantes de la pandilla no sabían cómo reaccionar cuando se apareció el grupo y comenzó a ayudarlos a limpiar y a repintar. A medida que trabajaban codo a codo, los muchachos comenzaron a bajar la guardia y algunos llegaron a contar situaciones dolorosas que les tocaba vivir.

»Cuando los ayudantes sacaron rosquillas y chocolate, Dios ya había ablandado el corazón de varios chicos, preparando el terreno para la respuesta a la pregunta de uno de los pandilleros: "¿Por qué son amables?"».

Se les habló del evangelio, y fiel y exacto a la promesa de Dios, su Palabra no volvió vacía. Las actitudes comenzaron a cambiar, algunos de los muchachos buscaron consejería y otros empezaron a manifestar conductas más positivas.

«Ya han pasado seis años desde entonces», prosigue la mamá, «y no hemos vuelto a tener problemas con pandilleros en nuestro instituto».

Espero que todos los testimonios que relaté te animen a orar con fuerza y regularidad por la escuela de tus hijos. Eso es lo determinante en el programa de enseñanza, en el ambiente espiritual, en la forma en que se tratan a los hijos y en su futuro.

Eric Buehrer, de *Gateway for Better Education*, expresa su optimismo en cuanto a las escuelas públicas: «Estamos en el umbral de las grandes oportunidades en nuestras escuelas públicas. Cuando miro hacia el mañana, puedo ver un amanecer y no un ocaso. Veo aulas enriquecidas con la expresión apropiada de las ideas y los valores cristianos. Veo a niños y jóvenes que por primera vez en su vida valoran y respetan las contribuciones que el cristianismo ha hecho en Estados Unidos, en el mundo y en sus propias vidas. Con la gracia y la dirección de Dios, podemos cambiar el curso de la historia[8].

Cómo cambian las mamás al orar por las escuelas

Dios te transforma cuando oras por la escuela de tu hijo. Puedes ampliar tu mundo más allá de tu familia; sentir más compasión por los maestros y administrativos; participar en los asuntos de la escuela de forma positiva; y te das cuenta de que no estás indefensa, sino que puedes distinguirte.

Karen opina: «Cuando oras por una escuela, tu amor y tu preocupación van más allá de tu familia y circunstancias. Cuando oras por cada alumno, por los maestros y los administrativos, das de tu amor a cada uno de ellos».

Una madre refunfuñaba y se quejaba por cuánto odiaba al director de la escuela de su hijo. Sin embargo, cuando comenzó a participar en la oración por la escuela, descubrió que podía trabajar con el director de una manera nueva por completo.

Raylene nos cuenta los cambios que ocurrieron en su vida: «Soy testigo de la bendición de mi crecimiento personal desde que comenzamos con nuestro grupo de oración. Soy entusiasta y tengo un propósito renovado de ser una mamá con dedicación exclusiva. Siento un amor creciente por mi esposo y cambió mi manera de ver el trabajo de la casa: deseo convertirla en el lugar en el que más desee estar cada uno de mi familia».

Ahora bien, ¡no puedo prometerle a todo el mundo que orar por nuestra escuela hará que nos convirtamos en mejores amas de casa! Aun así, he recibido innumerables cartas en las que las mujeres me dicen cómo orar por un cambio en su escuela produjo un cambio en ellas.

Oremos

A continuación está una lista de las esferas en las cuales concentrar tus oraciones. Ora:

- Que la ceguera espiritual generada por el enemigo desaparezca de los alumnos, maestros y administrativos a fin de que logren escuchar con claridad las buenas nuevas del evangelio y creer por fe en Jesucristo.

- Que los alumnos cristianos vean su escuela como su campo misionero y procuren hallar oportunidades de testificar de su fe.

- Que nuestras escuelas estén dirigidas por valores bíblicos y altas normas morales.

- Que las organizaciones de ayuda de las iglesias y pastores de jóvenes de los centros educativos no se sientan abatidos ni pierdan el fervor, sino que se fortalezcan por el Espíritu Santo y tengan paciencia y perseverancia.

- Que los alumnos sean atrapados cuando sean culpables de algo.

- Que haya actividades de oración lideradas por los estudiantes y estudios bíblicos en todas las escuelas.

- Que se derriben las fortalezas de la droga, la inmoralidad sexual y la violencia. Pídele a Dios que te revele cualquier otra fortaleza que se deba derribar.

- Que Dios produzca una reconciliación racial entre los estudiantes.

- Que el personal y los maestros cristianos se unan en oración en su escuela.

- Que los maestros cristianos reconozcan las filosofías seculares dentro de los programas de estudio y puedan enseñar sin tapujos el punto de vista cristiano también.

- Que Dios levante educadores cristianos para todas nuestras escuelas.

- Que tu escuela reciba protección de acciones violentas.

- Que los niños traumatizados vean su miedo transformado en fe en Jesús y que Dios les dé paz mental.
- Que se produzca un avivamiento espiritual en cada escuela.
- Que un espíritu de oración se derrame sobre las mamás de todo el mundo para que se reúnan a orar por sus hijos y escuelas.

Bernie cuenta su historia sobre el efecto que su esposa tuvo en su vida cuando ella aprendió a orar en MITI. «No soy una madre, ni un estudiante ni una maestra y, sin embargo, Madres Unidas para Orar ha tenido un profundo impacto en mi vida. Soy el esposo de una madre de uno de los grupos. Mi esposa siempre ha sido amorosa y dedicada a nuestros hijos, pero ella sería la primera en reconocer que también es la primera en preocuparse por todo. Varios meses después de haberse unido a un grupo de MITI, comencé a ver que Dios tomaba sus preocupaciones y sus temores y los sustituía con paz mental y una mayor fe.

»Yo también deseaba crecer en mi fe. Había sido cristiano durante años, me encantaba estudiar la Biblia, pero nunca había tenido demasiado interés en las reuniones de oración.

»Una noche después de la cena, mi esposa y yo estábamos en nuestro jacuzzi cuando le comenté: "No sé cómo te las arreglas para orar durante una hora en los encuentros de MITI, ¿podrías enseñarme?".

»Me sugirió que comenzáramos allí mismo y recorrimos los cuatro pasos de la oración. Una hora más tarde, arrugados como pasas, salimos del agua.

»Durante los días y las semanas siguientes, mi esposa y yo oramos juntos con regularidad, y comencé a levantarme más temprano para orar otra hora más antes de hacer mi estudio bíblico. En poco tiempo, Dios agregó un nuevo gozo y emoción a mi vida espiritual».

Las escuelas cristianas también necesitan oración

Muchas de las oraciones elevadas por las escuelas públicas se pueden hacer también por las escuelas cristianas. Robin, que ha dedicado trece años a orar por las escuelas cristianas, recuerda la mañana cuando tuvo el primer encuentro informativo para mamás que desearan iniciar un grupo de oración por una escuela primaria cristiana. La primera mujer en llegar preguntó: «¿Dónde están todas las mamás? Esperaba encontrarme con una calle llena de automóviles; después de todo, somos una escuela cristiana». Pronto se dio cuenta de que podemos llegar a ser complacientes en nuestras escuelas cristianas. Podemos pensar que nuestros hijos están bien. ¿Por qué necesitarían oraciones adicionales? Nos olvidamos que nuestros hijos crecen en un mundo pecaminoso y lleno de maldad, que deberán enfrentar las mismas tentaciones y desafíos que enfrenta el resto de los niños.

Debemos mantener esta visión ante nosotros, ya sea que nuestros hijos estén en escuelas públicas o privadas: Los niños y las escuelas tienen sed de oración. Se puede detener el flujo de maldad que inunda nuestra tierra y afecta a nuestros hijos y sus escuelas. Oswald Chambers escribió: «A través de la oración intercesora podemos alejar a Satanás de la vida de otros y darle una oportunidad al Espíritu Santo»[9]. Veo que Dios derrama el espíritu de oración sobre las mamás de todo el mundo.

La oración de las mamás es «poderosa y eficaz» (Santiago 5:16). Se están levantando mamás de cada denominación evangélica ante el desafío de separar un tiempo de sus apretadas agendas para reunirse a orar y ser reparadoras de brechas en el muro. Las mamás le están entregando el mejor regalo que podrían hacerle a sus hijos: sus oraciones.

El regalo de la oración en el mundo

Y Dios está levantando mamás de cada nación, lengua y pueblo. Nuestras hermanas de la India comenzaron a tocar el cielo una tarde en la que empezaron a orar por sus hijos y no pudieron detenerse. Oraron toda la noche. Experimentaban lo que dice Isaías 62:6-7. «Sobre tus muros he puesto centinelas [intercesores] que nunca callarán, ni de día ni de noche. Ustedes, los que invocan al Señor, no se den descanso; ni tampoco lo dejen descansar, hasta que establezca a Jerusalén y la convierta en la alabanza de la tierra». Estas mujeres no pudieron descansar hasta que no oraron por todo lo que Dios puso en sus corazones.

Sharon Arrington cuenta cómo presenció la manera en que unas mamás derramaron su corazón como agua (literalmente). Cuando presentó a MITI en Uganda, les enseñó a las madres a orar las Escrituras por sus hijos. Estas mujeres cayeron de rodillas y lloraron por sus hijos, dejando pequeños charcos de lágrimas en el suelo.

Una madre en Egipto dice: «Clamamos por nuestros hijos todos los días porque van a una escuela donde no se les enseña nada de Cristo. Nos encontramos en un estado de desesperación; pero damos gracias a Dios de que ustedes vinieran para darnos esta nueva visión. Hemos comenzado a reunir a otras hermanas a fin de orar por nuestros hijos, nuestras escuelas y los maestros. Ahora ya no estamos sin esperanzas; ahora sabemos lo que debemos hacer por el bien de nuestros hijos y sus escuelas».

Olga de Tamacas, que vive en El Salvador, informa: «Las madres de nuestro país, además de los problemas comunes de las madres de todo el mundo, tienen que enfrentar los efectos de doce años de guerra civil. Nuestros jóvenes son violentos y las armas de fuego son comunes en nuestra sociedad. Todo esto, sumado a la desintegración familiar, ha generado dos flagelos que sumieron a nuestra nación en la más absoluta desesperación: delincuencia juvenil y secuestros. Sin embargo, Madres Unidas para Orar ha traído una nueva esperanza para las madres salvadoreñas. En cada lugar en el que se presenta la idea de orar por nuestros hijos en las escuelas, las mamás nos dicen: "Esto es lo que necesitábamos. ¿Por qué nadie nos lo dijo antes?"».

Colleen Reph, integrante de un grupo de MITI en el estado de Washington, visitó a algunas mujeres en Rusia y luego comentó:

«Una de las cosas más maravillosas en cuanto a lo que pude transmitirles a las mamás de Rusia fue que, a pesar de las diferencias de idioma y que no podíamos comunicarnos muy bien, se me acercaban al final de nuestros encuentros y ponían su mano en mi corazón y en el de ellas para manifestarme que me habían comprendido y que querían que yo supiera que nuestro corazón es el mismo. En todo el mundo, el corazón de las mamás por sus hijos es el mismo».

Grupos especiales de oración

Las mamás en prisión oran

Las mujeres en prisión anhelan orar también por sus hijos. Los grupos de MITI se reúnen en más de diez cárceles.

Martha fue a prisión por un desfalco de dinero en la empresa donde trabajaba. Justo antes de su sentencia, consagró de nuevo su vida al Señor. Para ella, una de las mayores penurias de estar presa era la imposibilidad de cuidar y proteger a sus hijos. Al enterarse que setenta y cinco por ciento de las setecientas prisioneras eran mamás y deseaban sentirse más cerca de sus hijos, Martha decidió iniciar un grupo de Madres Unidas para Orar. «En el primer encuentro fuimos quince madres», dijo Martha, «y cubrimos en oración a cuarenta y cinco hijos y veinte escuelas. Cuando el Señor me llamó a dirigir un grupo de MITI en la cárcel, me sentí aterrada. Temía la persecución de otras internas o de las autoridades de la cárcel. En cambio, MITI me permitió desarrollar amistad con las mamás. Al estar presa, no hay nada: tener que llevar a mis hijos a jugar al fútbol, lavar la ropa, lavar los platos, ni ningún otro deber diario de las "mamás", que interfiera con la tarea más importante de todas: orar por mis hijos».

Las madres que enseñan en casa oran

Estas madres ven la necesidad de unirse para orar. Se hallan en una situación única ya que cumplen la doble función de ser maestras y madres. Una mamá que realiza esta tarea expresa su aprecio por MITI porque necesita el apoyo y las oraciones. Dice: «Nos encanta orar por los maestros, porque oramos por nosotras mismas. Y también oramos por nuestros esposos porque son los "directores". En la hora de MITI oramos por toda nuestra familia. ¡Qué bueno está eso!».

Las abuelas oran

En el momento actual, cuando nuestras familias parecen diseminadas por todos los rincones de la tierra, una manera de sentirnos más cercanos a nuestros seres queridos es mediante la oración. Esto es cierto para las abuelas en especial. Va en aumento nuestro grupo de Abuelas Unidas para Orar. Las abuelas tienen así un contacto constante y significativo con sus nietos, porque les preguntan cómo pueden orar por ellos, por sus profesores, sus amigos y escuelas. Mediante las oraciones contestadas estas abuelas les enseñan a sus nietos que un Dios amoroso los cuida.

Atención con la próxima generación... ¡las abuelas están orando!

Las madres en la fuerza laboral oran

Las madres que trabajan fuera del hogar a tiempo completo tienen una gran carga de orar por sus hijos. Muchas veces se sienten desconectadas. Pertenecer a un grupo de Madres Unidas para Orar las ayuda a mantenerse en un contacto más estrecho con la escuela y sus hijos a través de la oración.

Una de las mamás trabajadoras me escribió para contarme el maravilloso apoyo que recibe de otras cuatro mamás trabajadoras que oran con ella. Se reúnen los sábados a las cinco y media de la tarde en el sótano del banco donde trabaja una de ellas. Nos cuenta que van «como están», algunas incluso en bata y pantuflas.

Las tragedias llaman a orar a las mamás

Las mujeres que son parte de MITI en el país y en el mundo se reúnen a orar por las tragedias que ocurren con nuestros hijos y las escuelas. Esta poderosa red de mamás que oran se pone de inmediato a interceder a favor de otras madres.

Esta red se evidenció cuando se dio a conocer la trágica noticia de lo sucedido en el instituto Columbine en Littleton, Colorado. Dos jóvenes armados asesinaron a doce compañeros, a un maestro, y por último, se suicidaron.

Uno de los alumnos muertos fue John Tomlin, el hijo de Doreen, una mamá de MITI. Alisa, la líder de MITI de la escuela Columbine, dijo: «Las demostraciones de cariño y afecto por parte de las madres de MITI de todo el mundo fue sobrecogedor. Recibimos cientos y cientos de cartas y regalos para los Tomlin y las demás familias. Doreen me dijo que leía las cartas de las madres de MITI una y otra vez. Apuntalaban su fe manifestándole que Dios tenía el control de todo».

Doreen nos cuenta: «Oré por protección para nuestros hijos; sin embargo, según me manifestaron, si los mil ochocientos chicos hubieran muerto como era la intención de los jóvenes armados, el testimonio de los muchachos cristianos se hubiera visto opacado. Es reconfortante ver que alguien se entrega a Cristo con motivo de la muerte de John. Debido a su muerte, su mejor amigo aceptó a Jesús. Este joven fue uno de los muchos que aceptaron a Cristo».

Alisa añade: «Hemos orado que Columbine sea una luz para el resto del mundo. Dios respondió a nuestras oraciones de manera mucho más abundante de lo que imaginábamos. Nunca antes había visto a Dios trabajar en forma tan visible. Es mucho más de lo que podemos asimilar. Mucho gozo en medio de tanto dolor. Lo que Satanás planeó para destrucción, Dios lo restituyó cien veces más. En vez de perder hijos en esa escuela, el Señor incrementó su rebaño. Mi mensaje a las mamás es que sigan orando. Él está allí».

No hay nada que pueda prepararte para recibir la noticia de la muerte repentina de tu hijo. ¡Qué privilegio y qué honor tenemos de poder estar en la brecha por esas madres a las que Dios permitió pasar a través de tal dolor!

Gracias, mamá

Los hijos captan lo que significa que sus mamás oren por ellos, incluyendo a mi hija, Trisha. «Cuando pienso en las mujeres que se reúnen a orar por sus hijos todas las semanas en todo el mundo, siento una profunda emoción. Estoy agradecida por las mujeres que han inundado mi vida con oraciones durante tantos años. Estoy convencida de que no estaría donde estoy si no hubieran orado por mí. He podido experimentar de primera mano el corazón generoso de una madre, y siempre disfrutaré de la bendición gracias a su constancia en hacer lo mejor que hace: orar».

No todos los hijos lo dicen con palabras, como Trisha, por eso quiero hacer extensivo a todas las madres el agradecimiento que su propio hijo le expresaría si pudiera.

Para todas las mamás que oran:

Gracias, mamá

Gracias, gracias por todas las veces
Que oras por mí cada semana
Por sacrificar esa especial hora
Con otras mamás que buscas.

Quienes piden la voluntad de Dios en la vida de sus hijos
Y saben que esta es la única vía
De mostrarles sus corazones al Creador
Tanto, que podemos crecer en santidad cada día.

Nunca se sabe cuánto significas
Cuando me cubres en oración.
Al traer calor dentro de mi corazón
Para sentir cuánto te preocupas.

Querida mamá, nunca dejes de orar,
Tus semillas de amor serán así
La manera en que aprenderé a amar
A este Dios al que estás orando por mí.

Cathy Roby

La oración de Isaías por Jerusalén me ayuda a expresar con palabras una oración a Dios por nuestros hijos y escuelas. ¿Orarás conmigo?

Poderoso Dios, debido a que amamos a nuestros hijos, debido a que nuestro corazón clama por sus escuelas, no podemos guardar silencio. No dejaremos de orar, no desmayaremos hasta que su justicia resplandezca como la aurora, y como antorcha encendida su salvación. Que sean llamados «Pueblo santo», «Redimidos del Señor». Y que su escuela se conozca como la «Ciudad anhelada», la «Ciudad nunca abandonada» (Isaías 62:1, 12). En el nombre de Jesús, amén.

12

¡Sigue en oración a cualquier precio!

Lynne se preguntaba si alguna vez vería un cambio en la triste vida de su hija. Nos cuenta: «Julie es una de esas adolescentes rebeldes a la que no se le puede decir nada porque tiene que probar todas las cosas malas por su cuenta. Mi grupo de oración siguió intercediendo con fidelidad durante los años de depresión, de deformación física voluntaria y de los intentos de suicidio. Mis compañeras de oración no se dieron por vencidas ni siquiera cuando ella, tres días antes de cumplir los dieciocho años de edad, se casó con un hombre que a la semana comenzó a tener una aventura con otra mujer y que luego le propinó maltratos físicos.

»A los diez meses de casada, se divorció y regresó a la universidad que abandonó para casarse con ese hombre. Esa fue una grandiosa respuesta a las oraciones porque necesitó armarse de valor para regresar al entorno en el que todos conocían su historia.

»Entonces fue cuando invitaron a Julie a una salida de fin de semana, de campamento, junto con otros quince estudiantes. Decidió no ir cuando se enteró que iban a beber y a drogarse. Mi grupo de oración pidió a Dios que evitara que el grupo hiciera el viaje.

»Julie me llamó el día en que partirían: "Mamá, llueve tanto que ni siquiera puedo ver el otro pabellón de dormitorios". Y yo le pregunté si el resto del grupo había salido de campamento, a lo que respondió: "¡Claro que no! Ha estado lloviendo así todo el día". Le conté que nuestro grupo de oración le había pedido al Señor que evitara ese viaje. Ella guardó silencio unos instantes y luego preguntó: "¿Acaso quieres decir que ustedes pueden orar y hacer que llueva?". No hace falta que les diga que solo pude responder con una carcajada.

»Luego de años de huir del Señor, al final Julie entregó su vida a Cristo. Apareció en casa justo cuando comenzábamos a orar y tuve que decirle que no podía atenderla en ese momento. Me dijo: "Mamá, ¿les dijiste a esas mujeres que me salvaron la vida?". "Sí, Julie, claro que sí"».

Dios dice: «No quedarán avergonzados los que en mí confían» (Isaías 49:23). Qué maravillosa promesa para las madres que llevan pesadas cargas por sus hijos. Incluso Pablo en Romanos 12:12 nos dice: «Alégrense en la esperanza», porque «la fe es la garantía de lo que se espera, la certeza de lo que no se ve» (Hebreos 11:1).

La oración que prevalece

Durante las tormentas de la vida, cuando nuestros hijos no caminan con el Señor o cuando persiste una enfermedad debilitante, o cuando el esposo pierde el empleo, nos aferramos por fe a lo que dice Dios. Sus palabras son nuestra soga y la oración es nuestro bote de salvamento.

¿Qué es la oración que prevalece? Es la oración persistente. Es dedicarnos a orar hasta que llegue la respuesta (Colosenses 4:2). Es creer que nuestras oraciones transformarán la vida de los demás. Es andar de puntillas con expectativa y esperar que el Dios de los cielos y de la tierra irrumpa con la respuesta.

> *La oración que prevalece es andar de puntillas con expectativa y esperar que el Dios de los cielos y de la tierra irrumpa con la respuesta.*

Y la oración que prevalece es esa clase de oración mezclada con lucha que Jacob tuvo con el ángel en Génesis 32:24. Él luchó, lloró y le rogó (Oseas 12:4). Su fe no se estremeció aunque se retuvo la bendición. No luchó con sus propias fuerzas, ni tampoco prevaleció en su fortaleza, sino en la de Dios.

Analiza los siguientes versículos de aliento para prevalecer en la oración:

¿Contendería conmigo con la grandeza de su fuerza?
¡No, sino que él me atendería! (Job 23:6, RV-95)

No será por la fuerza ni por ningún poder, sino por mi
Espíritu dice el Señor Todopoderoso (Zacarías 4:6).

Así mismo, en nuestra debilidad el Espíritu acude a ayudarnos. No sabemos qué pedir, pero el Espíritu mismo
intercede por nosotros con gemidos que no pueden
expresarse con palabras (Romanos 8:26).

¡De esa manera oramos por nuestros hijos! Lo hacemos con
fervor, de todo corazón, con pasión, intensidad y vehemencia.
Como Jacob, podemos decidir no dejarlo ir hasta que bendiga a
nuestro hijo, hasta que responda. Con la fortaleza de Dios vamos a
prevalecer. «Señor, no voy a dejarte hasta que bendigas a mi hijo».
Una oración como esa nace de la pasión por Dios. Él es nuestra
única esperanza.

¿Cuáles son los asuntos principales en los que necesitas prevalecer en la oración?

La oración que prevalece se aferra a las promesas de Dios
hasta que llegue la respuesta, sin importar cuánto demore. Como lo
expresa Gary Bergel, presidente de Intercesores por Estados
Unidos, cuando dice que oramos «hasta que Él arregla, resuelve,
finaliza o inicia una solución del reino en cuanto a determinado
asunto»[1]. Un intercesor que prevalece confía en los tiempos de
Dios para la respuesta. Sabe que para Dios mil años son como
un día (Salmo 90:4).

Una mamá decidió que la escuela de su hijo necesitaba un
grupo que orara por ella, pero a pesar de que puso anuncios en el
periódico y de anunciarlo en la iglesia para formar un grupo,
ninguna otra mamá se le unía. Cada semana, esta mamá era fiel
en colocar sillas en el salón de reuniones y luego se ponía a orar
sola durante una hora. Y cada semana su hija le preguntaba:
«¿Fue alguien a orar contigo?». La mamá le respondía: «Jesús se

sentó en una de esas sillas». Luego de cuatro años de formar un grupo de una sola madre, al final se le unieron doce madres más.

Tomemos en serio la orden de Jesús: Se debe «orar siempre, sin desanimarse» (Lucas 18:1). La oración perseverante nos acerca a Dios. Necesitamos el consuelo de su voz, la confirmación de su presencia. Eso es lo que nos dice el versículo preferido de mi esposo: «Pero los que confían en el Señor renovarán sus fuerzas; volarán como las águilas: correrán y no se fatigarán, caminarán y no se cansarán» (Isaías 40:31).

La parte de Dios y nuestra parte

Mientras leía el libro de Jean Fleming, *A Mother's Heart*, en el que narra una historia de 2 Reyes, me di cuenta de cuánta relación hay entre esa historia y la oración. Me recuerda que, mientras podemos hacer algunas cosas, hay otras que solo puede hacerlas Dios.

Tres reyes unieron sus fuerzas para pelear contra los moabitas. Mientras estos ejércitos perseguían al enemigo, se encontraron de pronto con que estaban en medio del desierto sin agua. Ellos y sus animales se morían de sed. Buscaron al profeta Eliseo para que le preguntara al Señor qué hacer.

Eliseo respondió: «Así dice el SEÑOR: "Abran zanjas por todo este valle, pues aunque no vean viento ni lluvia —dice el SEÑOR—, este valle se llenará de agua, de modo que podrán beber ustedes y todos sus animales". Esto es poca cosa para el Señor» (2 Reyes 3:16-18).

Si la gente quería agua, debían cavar zanjas. Tenían la lengua pegada al paladar, los labios abrasados y la frente sudorosa. Todos estaban agotados y algunos quizá perdieran el conocimiento mientras trabajaban. No obstante, para ver el milagro tenían que hacer su parte.

¿Qué longitud y qué profundidad tenían esas zanjas? No lo sabemos. Lo que sabemos es que «a la mañana siguiente, a la hora de la ofrenda, toda el área se inundó con el agua que venía de la región de Edom» (v. 20).

Debemos grabar en nuestro corazón que, pase lo que pase, nuestro Señor nos dice que sigamos orando hasta el fin. En 1 Pedro 4:7 se nos dice: «Ya se acerca el fin del mundo. Por eso, sean responsables y cuidadosos en la oración» (TLA). Cuando Dios regrese a la tierra, quiere hallar a su esposa orando.

Debemos grabar en nuestro corazón que, pase lo que pase, nuestro Señor nos dice que sigamos orando hasta el fin.

¿Hay ocasiones en que te sientes sin esperanzas, que tu fe es débil y que tus fuerzas se agotan? Jesús dice que, aun así, sigas hablando con Él. Sí, aunque tengas el corazón partido. Nadie te comprende como Jesús. «Porque no tenemos un sumo sacerdote incapaz de compadecerse de nuestras debilidades, sino uno que ha sido tentado en todo de la misma manera que nosotros, aunque sin pecado. Así que acerquémonos confiadamente al trono de la gracia para recibir misericordia y hallar la gracia que nos ayude en el momento que más la necesitemos» (Hebreos 4:15-16).

Puedes tener el privilegio de acudir a Jesús a favor de una querida amiga que padece una enfermedad de larga duración como la esclerosis múltiple. Mientras oras por su sanidad, también puedes orar para que Dios le dé la gracia necesaria a fin de sobrellevar su cruz, que su ser interior se fortalezca con el poder del Espíritu Santo, que pueda ver a su Salvador de maneras en que jamás le viera antes y que comprenda y sepa cuán ancho, alto y profundo es el amor de Jesús por ella. Aun así, lo más importante de todo, cualquiera que sea el motivo por el que ores, prevalece en la oración, ¡no te detengas!

También puedes prevalecer en la oración por personas con las que tienes un contacto fugaz. Por ejemplo, estoy orando por una joven con la que mi nuera se encontró en la sala de espera del médico. Esta jovencita estaba sola, con un embarazo de ocho meses y con cáncer de útero. Los médicos querían hacerle un legrado. Oré por su salvación y para que Dios acercara a su vida personas que la amaran y la ayudaran. Que el Príncipe de Paz habitara en su corazón.

Son muchas las situaciones que requieren la oración que prevalece. Estas personas necesitan que otros clamen de noche y de día al Señor. Como dice en Isaías 62:6: «Jerusalén, sobre tus muros he puesto centinelas que nunca callarán, ni de día ni de noche. Ustedes, los que invocan al SEÑOR, no se den descanso».

Un Dios dispuesto a ayudar

No orar porque no estamos seguros de qué pedir no es la opción adecuada. Debemos confiar en que el Espíritu Santo traducirá nuestros torpes pensamientos para que sean perfectos ante el Padre. Si tan solo comprendemos lo mucho que quiere ayudarnos Dios.

Spurgeon escribe lo que ve como respuesta de Dios cuando oramos:

> Es algo sencillo para mí, tu Dios, ayudarte. Piensa en lo que ya hice. ¿Qué? ¿Acaso no te he ayudado? Te compré con mi sangre. ¿Que no te he ayudado? Morí por ti; y si hice algo tan grande, ¿acaso no voy a hacer algo menor? ¡Ayudarte! Es lo menos que haría por ti; ya hice mucho más, y lo seguiré haciendo. Antes de que el mundo fuera, te escogí. Hice un pacto por ti; dejé mi gloria de lado y me hice hombre por ti; di mi vida por ti; y si hice todo esto, sin duda que te ayudaré ahora. Al ayudarte, te daré lo que ya compré para ti. Si necesitaras mil veces mi ayuda, te la daría; me pides poco en comparación con lo que tengo preparado para darte. Parece mucho para ti cuando lo pides, pero para mí es nada al ofrecértelo.[2]

¿Cómo no vamos a confiar en un Dios así?

Cierto día manejaba por un camino largo con campos sembrados a ambos lados. Vi un árbol solitario a la distancia. Estaba inclinado a cuarenta y cinco grados. Día tras día, año tras año,

Oremos

Orar durante mucho tiempo por asuntos sin resolver pone a prueba nuestra paciencia, nuestra fe y nuestra creatividad. Después de un tiempo es difícil saber por qué orar. Usar las Escrituras en las oraciones te ayudará a perseverar. En las siguientes oraciones basadas en la Biblia puedes insertar el nombre de la persona en el espacio en blanco. Tienes que saber que Dios te promete que su Palabra no volverá a Él vacía. No importa cuánto tarde en llegar la respuesta, Jesús te anima a orar siempre sin desanimarte (Lucas 18:1).

Para los pródigos

Padre misericordioso, extiende tu mano desde las alturas y salva a _____ de las aguas tumultuosas; líbralo del poder de gente extraña que cuando abre la boca dice mentiras y cuando levantan la diestra, juran en falso (Salmo 144:7-8).

Por los esposos

Mi Dios fiel, te pido que le des a _____ un corazón íntegro y un espíritu renovado; por favor, arráncale el corazón de piedra que ahora tiene y ponle un corazón de carne. Para que _____ cumpla tus decretos y ponga en práctica tus leyes. Que _____ pueda saber que tú eres su Dios. (Ezequiel 11:19-20)

Por enfermedades largas

Querido y misericordioso Señor, te pido que _____ sea fortalecido en todo sentido con tu glorioso poder a fin de que persevere con paciencia en esta situación. (Colosenses 1:11)

Por salvación

Amado Padre, te pido que abras los ojos de _____ y lo conviertas de las tinieblas a la luz, del poder de Satanás a Dios, a fin de que reciba el perdón de los pecados y la herencia entre los santificados. (Hechos 26:18)

> **Por las ansiedades**
> *Padre celestial, te pido en el nombre de Jesús que*
> _____ *no se inquiete por nada, sino que en cada oca-*
> *sión, con oración y ruego, presente sus peticiones ante ti,*
> *y te dé gracias. Gracias por la promesa de que le darás a*
> _____ *la paz que sobrepasa todo entendimiento*
> *y que guardarás su corazón y sus pensamientos en Cristo*
> *Jesús. (Filipenses 4:6-7)*

había sucumbido con lentitud a los vientos predominantes que soplaban por esa llanura.

Nuestras oraciones que prevalecen son como el viento del Espíritu Santo, que hacen que el objeto de nuestra oración se incline ante la fuerza persistente. Puede que no veamos los efectos de nuestras oraciones; no importa, Dios está obrando.

Tiempo para actuar, tiempo para orar

Sin embargo, a veces nos cuesta trabajo esperar la respuesta. En lugar de confiar, intervenimos y tomamos cartas en el asunto. Al hacerlo, corremos el riesgo de entrometernos en algo para lo que Dios tenía una idea diferente por completo. Antes de actuar, necesitamos preguntarle a Dios qué quiere que hagamos o que no hagamos.

Somos como el pequeño que halló un capullo. Se sentó por unos instantes a observarlo cuando vio que la mariposa luchaba por sacar su cuerpo a través de un pequeño orificio. El niño pensó que era triste dejar que la mariposa luchara tanto con tan poco resultado. De modo que decidió ayudarla. Tomó un par de tijeras y cortó el capullo que mantenía apresada a la mariposa. Con el capullo abierto, la mariposa se arrastró afuera; pero tenía el cuerpo inflamado y las alas marchitas y arrugadas. Jamás podría volar. Lo que el muchacho no sabía era que esa intensa lucha por liberarse era necesaria para iniciar la circulación en las alas.

Muchos de nuestros hijos luchan por hallar su fe. Nuestra tarea es la de amarlos de manera incondicional y prevalecer en oración. Al buscar a Dios, debemos pedirle que nos dé la sabiduría para saber cuándo intervenir y cuándo guardar silencio. Sé que esto no es fácil; pero descansa en la convicción de que nuestro amoroso Dios está contigo recogiendo los restos sufrientes de tu corazón y atrayéndote más cerca de Él. Como lo expresan las Escrituras: «Que el amado del Señor repose seguro en él, porque lo protege todo el día y descansa tranquilo entre sus hombros» (Deuteronomio 33:12).

Queridas mamás, ¿no es esto maravilloso? Si cumplimos con nuestra tarea, la de orar, si perseveramos y cavamos la zanja, algún día aparecerá el agua, la respuesta a la oración. El milagro no es difícil para Dios.

En su programa radial, Ron Hutchcraft brinda esperanza a los padres dolidos cuando les recuerda la historia que hallamos en Lucas 7.

Poco después Jesús, en compañía de sus discípulos y de una gran multitud, se dirigió a un pueblo llamado Naín. Cuando ya se acercaba a las puertas del pueblo, vio que sacaban de allí a un muerto, hijo único de madre viuda. La acompañaba un grupo grande de la población. Al verla, el Señor se compadeció de ella y le dijo:

—No llores.

Entonces se acercó y tocó el féretro. Los que lo llevaban se detuvieron, y Jesús dijo:

—Joven, ¡te ordeno que te levantes!

El muerto se incorporó y comenzó a hablar, y Jesús se lo entregó a su madre.

Si Jesús puede resucitar a un muchacho para entregárselo a su madre, ¿no crees acaso que Él puede traer de regreso a tu hijo de cualquier lugar por el que ande? Jesús te llama en este mismo instante y te dice: «No te

des por vencida. No pierdas las esperanzas. He escuchado
tus oraciones. Estoy tras él. Estoy tras ella»[3].

La esperanza se restablece cuando otros oran contigo. Algo
maravilloso sucede cuando muchos oran y sostienen con tenacidad
a ese por el que oran.

El efecto acumulativo

«Nuestras oraciones tienen un efecto acumulativo», dice el escritor
Wesley Duewel. «Cuando se construye una represa en un valle,
puede llevar varios meses. Luego, el agua comienza a acumularse
detrás del dique de contención y eso puede llevar meses, un año
o tal vez más. Sin embargo, cuando el agua alcanza determinado
nivel, se abren las compuertas, el agua comienza a encender los
generadores y se produce una tremenda energía».

Duewel compara esta ilustración con la oración persistente
y de común acuerdo. «A medida que más personas se unen en
oración o cuando la persona prevalece orando una y otra vez, es
como si se acumulara una enorme masa de oraciones hasta que
de pronto hay un avance y se cumple la voluntad de Dios [...]
Las oraciones hechas en la voluntad de Dios jamás se pierden,
sino que se guardan hasta que Dios da la respuesta»[4].

Las persona que está del lado seco del dique no puede ver el
agua que se acumula. Luego, cuando esa última gota hace que el
agua alcance el nivel apropiado, se libera todo el poder. Muchas
veces estamos del lado seco, orando con fidelidad por una transformación en la vida de un hijo, o el empleo del esposo, o por la
falta de unidad en la iglesia, o para que nuestra escuela sea un
faro que anuncie a Jesús. Y parece que nada sucediera. No obstante, Dios ha escuchado cada oración y a su tiempo se liberará
su poder.

«Recuerdo que literalmente sacudí mi puño contra Dios»,
relata Jan al contarnos de sus oraciones por su hijo, Luke. «Me
envió el niño equivocado. No puedo tener un adolescente así:
enojado, rebelde, taimado, mundano. Tenía pensado ser la mejor

madre del mundo; ¿pero cómo lograrlo con este hijo imposible de tratar?

»De niño, Luke era jovial y alegre, pero desafiante y siempre agresivo. Me consolaba con su voluntad firme, pensando que resistiría la presión de los pares. No sabía entonces que la mayoría de los niños catalogados como de «voluntad firme» en realidad son tercos y obstinados, y un adolescente centrado en sí mismo y consciente de su identidad no desea ser distinto. Ese era Luke. Vivía para él, de manera independiente, obviaba el horario para regresar a casa y las reglas, fumaba cigarrillos y mariguana, llevando al límite la paciencia de padres y maestros.

»Oraba siempre por Luke, pero estoy muy agradecida que cuando estaba en tercer grado Dios trajo refuerzos: Madres Unidas para Orar. Desde que tenía ocho años, esas madres se pusieron de acuerdo conmigo ante el Padre a favor de mi hijo, tuvieron fe cuando la mía se debilitaba y lo amaron a través de sus oraciones.

»En nuestro grupo hicimos una petición audaz: que atraparan a nuestros hijos si eran culpables. Pensaba que muchas de nuestras oraciones caían en oídos sordos, pero *esa* en particular Dios la respondió una y otra vez. Muchas veces atraparon a Luke en sus actos ilegales.

»Luke decidió que no iría a la universidad cuando terminara el instituto. Al fin y al cabo, ya lo sabía todo. Además, en poco tiempo pensaba convertirse en multimillonario con su banda de rock; así que no necesitaba un título universitario.

»Luke se mudó solo. Luego, poco a poco, comenzamos a ver indicios de la obra invisible que había estado haciendo Dios. Una vez conseguida la tan ansiada independencia que quiso desde su nacimiento hizo que mejorara la relación de Luke con nosotros. Empezó a pedirle consejos a su padre, charlaban de deportes y mantenía verdaderas conversaciones conmigo.

»Ese poco a poco fue aumentando hasta convertirse en pasos agigantados. Luke empezó a devorar la Biblia, a asistir a la iglesia y abandonó los malos hábitos. Desde el instituto, cada centavo que ganaba, todas sus esperanzas, sueños, metas y tiempo se concentraban en su banda. Los integrantes de la banda ansiaban cumplir los veintiún años a fin de tocar en los bares y llegar a la fama. Ese día llegó, los conciertos llegaron y los recibieron bien. Entonces fue cuando Dios le dijo a Luke que quería que hiciera algo nuevo.

»Este hijo nuestro, que rara vez hablaba de un pensamiento personal o alguna lucha desde que era un niño, nos pidió a su padre y a mí que oráramos cuando le anunciara a su banda que los dejaba. La banda que tocaba canciones propias y la que él lideraba como cantante. Ahora estaba a punto de hacer añicos las esperanzas de los otros integrantes y echar por la borda años de trabajo porque "ya no estaban del mismo lado".

»Ahora Dios ponía nuevas canciones en sus labios, canciones que le daban a Él toda la gloria. El Señor ha fortalecido la fe de las mamás en nuestro grupo que todavía esperan ver a sus hijos que regresen a Dios de todo corazón».

La toma por asalto de las puertas

Soy una madre como Jan y como tú. Amo a mis hijos como tú y oro por ellos al igual que lo haces tú. Y, como muchas otras madres, he penado, llorado y golpeado las puertas del infierno por la vida de mi hijo pródigo.

En ocasiones acudí al Señor sollozando por su vida. Entonces venían a mi corazón sentimientos de falta de mérito y de fracaso como madre. Los «Si al menos...» llenaban mi mente. ¿Cómo me iba a usar Dios en el ministerio cuando mi propia familia luchaba? ¿Cómo les iba a decir a las otras mamás que Dios responde a la oración si no veía mi oración respondida? ¿Qué pensarían las demás mujeres al enterarse lo de mi hijo?

Necesitaba la fortaleza, la sabiduría, el inmutable amor y el valor de Dios para poder llevar a cabo mis actividades cotidianas como esposa, madre y líder de ministerio. Cuando recuerdo esa época, puedo afirmar que solo la gracia de Dios, esa gracia maravillosa e incomparable, fue la que me sostuvo y me mantuvo con esperanzas y en actividad.

Recuerdo un día en particular en que me sentía indigna. Entonces leí Mateo 10:37-38: «El que quiere a su padre o a su madre más que a mí no es digno de mí; el que quiere a su hijo o a su hija más que a mí no es digno de mí; y el que no toma su cruz y me sigue no es digno de mí».

El Espíritu Santo hizo que me detuviera en la frase: «el que no toma su cruz y me sigue no es digno de mí». Mi única preocupación debía ser tomar mi cruz, ser fiel a lo que Dios me había mandado hacer. Aun cuando fuera difícil. Aun cuando no lo entendiera. Aun cuando sentía que no lograría seguir adelante.

Oré: «Señor, te amo a ti más que a mis hijos, y deseo servirte hasta el día en que me lleves a vivir contigo para siempre. Tienes razón, no puedo cargar las cruces de mis hijos. Tú vas a ayudarlos a cargarlas de la misma manera que me ayudas a mí. Qué alivio siento al saber que solo tengo la responsabilidad de la cruz que me has dado. Eso es todo lo que me pides. Señor, que pueda ser hallada fiel».

Admiro al doctor Billy Graham y a su esposa, Ruth, por ser vulnerables respecto a su hijo pródigo, Franklin. Oraban por él y, sin embargo, siguieron sirviendo al Señor. Billy Graham siguió predicando a pesar de la rebeldía de su hijo. Piensa en las miles de personas que no hubieran recibido a Cristo si el reverendo Graham hubiera dejado de predicar el evangelio hasta que su hijo se reconciliara con Jesús.

Perseveremos mientras corremos

Como los Graham, mi tarea es perseverar en oración por mis hijos. Con gozo, debo correr con perseverancia la carrera que Dios me ha puesto por delante (Hebreos 12:1-2).

Los siguientes pensamientos de «Manantiales en el desierto» me fueron de enorme bendición mientras trataba de correr la carrera con paciencia y servir al Señor al mismo tiempo que sufría por mi hijo.

Es común que asociemos paciencia con rendirnos. Pensamos que es el ángel que guarda la camilla del inválido. Sin embargo, no creo que la paciencia del inválido sea la más difícil de conseguir. Hay una clase de paciencia que creo que es más difícil aun [...] Es tener las fuerzas para trabajar bajo presión; es tener un gran peso en el corazón y seguir corriendo; es tener una gran angustia en el espíritu y aun así continuar con las tareas cotidianas [...] Tenemos el llamado a enterrar nuestras tristezas, pero no en una inactividad letárgica, sino en el servicio activo [...] No hay entierro de tristeza más difícil que ese; es el de «*correr con paciencia*»[5].

Mis hijos ya son adultos y todos aman al Señor. Puedo declarar con Juan: «Nada me produce más alegría que oír que mis hijos practican la verdad» (3 Juan 4). Cuánto alabo a Dios por ayudarme a mantenerme en la tarea a la que me ha llamado Él. Me hubiera perdido muchísimas bendiciones.

Evelyn Christenson, en su libro *Lo que Dios hace cuando las mujeres oran*, dice: «Los cambios no se producen cuando estudiamos acerca de la oración, tampoco cuando hablamos de ello, ni siquiera cuando memorizamos hermosos versículos bíblicos sobre la oración. Cuando *oramos* es que empiezan a suceder las cosas en realidad»[6].

Este ha sido mi deseo a lo largo de este libro: alentarte a realizar esfuerzos mayores en oración, pues cada una de nosotras tiene el privilegio y la responsabilidad de orar por nuestros seres queridos, en especial por nuestros hijos. Nuestro legado en oración es la mayor herencia que podemos dejarles. La oración es poderosa.

Como ya vimos juntas, debido a que somos hijas de Dios, tenemos ciertos derechos y privilegios. Tenemos la autoridad de acercarnos a nuestro Padre celestial a favor nuestro y de otros. Dios nos pide que perseveremos en nuestras oraciones y que oremos con confianza. Y nuestro Padre ansía que nos lleguemos ante su mesa con frecuencia para comunicarnos con Él. Dios nos pide que presentemos nuestro corazón a Él, con una mezcla de esperanza y anhelo, pidiéndole que actúe a nuestro favor y de nuestros seres queridos. Y nos ha dado los medios para hacerlo con la seguridad de que Él anhela respondernos. Esa es en parte el porqué estudiamos las Escrituras: conocer su voluntad y sus promesas a fin de que oremos de acuerdo a ellas. Por eso oramos juntas, porque Él nos dice que el poder radica en la oración de común acuerdo. Por eso cuando oramos, entramos en el combate espiritual contra las tinieblas, pues Él nos asegura que prevalecerá. Y por eso oramos por el lugar que influye tanto en nuestros hijos: la escuela. Sabemos que Dios quiere que sean sitios de gran moral y espiritualidad. Y por eso hacemos la oración de cuatro pasos que transforma las vidas, porque nos ayuda a concentrarnos en cada aspecto de nuestra relación con Dios, alabándolo, confesando, agradeciendo e intercediendo por otros.

Ahora que has recorrido los cuatro pasos de la oración por tu cuenta, espero que te hayan parecido tan emocionantes y excelentes como a mí. Después de usarlos durante veinte años, cada vez que lo hago, sigo a la expectativa por hallar un conocimiento más profundo de Dios en cada paso. He descubierto que cada uno de los cuatro puntos de la oración es adoración, porque me recuerdan el carácter y la fidelidad de Dios, la que he visto manifestarse una vez tras otra. El clamor de mi corazón sigue siendo: «Señor, enséñame a orar». Estoy aprendiendo a entonar mi propia melodía, al igual que tú.

Por eso, estimada lectora, ruego a Dios que tu canto a Dios sea un gozo y una bendición para ti y para nuestro Señor. Que tus notas sean altas y que perduren.

Querido Padre celestial, te pido que las lectoras logren experi-
mentar el Salmo 25:14 (LBD): «Ser amigos de Dios es privilegio

de quienes lo reverencian; solo con ellos comparte Él los secretos de sus promesas».

Padre, que tus palabras habiten en abundancia en ellas, que tengan sed de ti como el ciervo clama por las corrientes de las aguas. Ayúdalas cada día a tener un tiempo devocional contigo. Dales la seguridad de que escuchas su clamor y respondes sus oraciones. Que experimenten el gozo de reunirse con otros que las ayuden a llevar las cargas a través de la oración. Bendícelas. Dales valor, fe y esperanza para seguir firmes en la oración... porque todo niño necesita una mamá que ora. Amén y amén.

Reconocimientos

ste libro es un milagro de la gracia de Dios en mi vida. No recuerdo un día durante el proceso de escribirlo en que no me presentara ante el Señor, clamando: «Señor Jesús, necesito tu ayuda. Lléname con tu Espíritu Santo para que pueda escribir lo que está en tu corazón». A Él, primero y por sobre todas las cosas, le doy el honor, la gloria y la alabanza.

Mi más sincero agradecimiento a todo el equipo de Zondervan, en especial a Carolyn Blauwkamp, que captó la visión de Madres Unidas para Orar Internacional y que fue la primera en hablarme de la publicación de un libro; a Cindy Hays Lambert, mi maravillosamente perceptiva editora; y a Sue Brower que, como directora de mercadeo, fue de gran apoyo para el libro desde el principio. A cada persona en Zondervan: su entusiasmo y la certeza de que Dios deseaba que la visión de Madres Unidas para Orar Internacional se difundiera a través de la palabra escrita aún me deja sin aliento y agradecida.

A mi amada representante, Ann Spangler: con cuánto amor y paciencia me animaste y me ayudaste, sobre todo en las etapas preliminares del proyecto. ¿Puedes creer que Dios puso la idea de escribir este libro en tu corazón hace más de diez años? Dios te usó, Ann, de maneras valiosísimas que nunca imaginarás siquiera.

Janet Kobobel Grant, me maravillan tus habilidades de corrección, las observaciones tan precisas y tu talento para organizar. Siempre decías las palabras justas en nuestras charlas semanales y me dabas el valor para continuar. Dios te ha elegido como mi entrenadora para este libro. Tus «toques especiales» hicieron que el libro cobrara vida.

Le doy a Dios muchísimas gracias por mi equipo intercesor de Madres Unidas para Orar (la junta de MITI, coordinadoras estatales, directoras regionales, personal de la oficina central de MITI, amigos de MITI y mi familia inmediata y extendida). Ustedes fueron mi inspiración. Este libro no podría haberse terminado sin sus oraciones sacrificiales. Gracias por las horas de oración a favor de Janet y de mí. A decir verdad, es «nuestro» libro.

Deseo dar gracias en especial a Cheri Fuller, Pam Farrel, Marlae Gritter, Charlene Martin, Joanne Harris y Connie Kennemer por sus notas alentadoras, llamadas telefónicas y mensajes de correo electrónico. Los valoré muchísimo.

A mi maravilloso personal de la oficina central: las palabras no alcanzarían a expresar cuánto les aprecio y lo agradecida que estoy por su fe en mí y por sus preciosas oraciones a mi favor. En especial quiero agradecer a Kathy Gayheart, Julie van der Schalie, Shari Larson, Elaine Minton y Melanie Collier por darme una mano y por sus perspectivas que suavizaron los lugares ásperos.

Estoy agradecida a mi grupo universitario de los jueves por la noche de Madres Unidas para Orar por su compromiso de orar por mí todas las semanas. Les agradezco a ustedes, Lynne Bechard y Kathleen Wendeln, por mantener mis peticiones específicas de oración ante las mamás. Qué gran gozo y enorme placer han sido para mí orar con ustedes.

A las mujeres de MITI en los Estados Unidos y alrededor del mundo: gracias por contarme sus testimonios de oración. A través de su vulnerabilidad les han dado esperanza a innumerables mamás de que Dios escucha y responde a la oración.

Y a mi familia, sus oraciones y su inquebrantable confianza en mí de que «todo lo puedo en Cristo que me fortalece» fueron mi fuente de gozo y perseverancia. ¡Los amo más allá del cielo azul!

Apéndice:

Listas y hojas de oración

Alabanza: Atributos de Dios

Aclamad con júbilo a Dios, toda la tierra; cantad la gloria de su nombre; haced gloriosa su alabanza.

Salmo 66:1-2 (LBLA)

A continuación hay una lista de los atributos de Dios junto con pasajes de las Escrituras que describen cada uno, los cuales puedes orar a Dios. Se incluyen definiciones para que tengas en cuenta los diversos aspectos de cada atributo y para que le añadas profundidad a las alabanzas que ofreces a nuestro Dios.

Dios es supremo

El de más alto rango, poder, autoridad; superior, el de más alto grado; sumo

Génesis 14:19
Job 11:7-9
Isaías 44:6-8
Hebreos 1:4, 6
Deuteronomio 10:14-17
Salmo 95:3-7

Hechos 17:24-28
Judas 24-25
Nehemías 9:6
Salmo 135:5
Colosenses 1:15-18
Apocalipsis 4:8

Dios es soberano

Tiene la posición de gobernante, real, reinante; independiente de todos los demás; por encima de todos los demás o superior a ellos; controla todo, puede hacer cualquier cosa

1 Samuel 2:6-8	Salmo 93
Job 42:2	Isaías 46:9-10
1 Crónicas 29:10-13	2 Crónicas 20:6
Salmo 33:10-11	Salmo 47:2-3, 7-8
Salmo 135:6-7	Isaías 40:10
Mateo 10:29-30	Romanos 8:28

Dios es omnipotente

Todopoderoso; con autoridad o poder ilimitado; todo lo puede

2 Crónicas 32:7-8	Mateo 19:26
Salmo 147:5	Colosenses 1:10-12
Habacuc 3:4	Salmo 89:8-13
Efesios 3:20	Jeremías 32:17
Salmo 62:11	Efesios 1:19-20
Isaías 40:28-31	Hebreos 1:3

Dios es omnisciente

Tiene conocimiento infinito; sabe todas las cosas

Salmo 44:21	Mateo 10:30
Salmo 147:5	Colosenses 2:3
Mateo 6:8	Salmo 142:3
Romanos 11:33-34	Daniel 2:22
Salmo 139:1-6	Juan 6:64
Isaías 65:24	Hebreos 4:13

Dios es omnipresente

Presente en todos los lugares en todo momento

1 Reyes 8:27	Hechos 17:27-28
Salmo 139:5-12	2 Timoteo 4:16-18
Mateo 28:20	Salmo 46:1-7
Colosenses 1:17	Jeremías 23:24
Salmo 31:20	Romanos 8:35, 38-39
Isaías 66:1	Hebreos 13:5

Dios es inmutable

Nunca cambia ni varía; inalterable

Números 23:19	Isaías 51:6
Salmo 100:5	Hebreos 13:8
Isaías 40:6-8	Salmo 33:11
Hebreos 6:17-19	Salmo 119:89, 152
1 Samuel 15:29	Malaquías 3:6
Salmo 102:25-27	Santiago 1:17

Dios es fiel

Constante, leal, digno de confianza, firme, inquebrantable, dedicado, veraz, fiable

Deuteronomio 7:9	1 Corintios 10:13
Salmo 119:90	1 Juan 1:9
Lamentaciones 3:21-24	Salmo 89:8
2 Timoteo 2:13	Salmo 146:5-8
Salmo 33:4	2 Timoteo 1:12
Salmo 145:13	Apocalipsis 19:11

Dios es santo

Perfecto o puro en lo espiritual; sin pecado; merecedor de nuestra admiración, reverencia, adoración

Éxodo 15:11	Lucas 1:49
Salmo 99	Apocalipsis 4:8
Isaías 57:15-16	Salmo 77:13
1 Pedro 1:15-16	Isaías 5:16
1 Samuel 2:2	Hechos 3:13-15
Salmo 111:9	Apocalipsis 15:4

Dios es justo

Equitativo; imparcial, honrado, recto, íntegro; honesto

Deuteronomio 32:4	Isaías 30:18
Salmo 89:14-16	Romanos 3:25-26
2 Crónicas 19:7	Salmo 9:7-10
Salmo 119:137-138	Salmo 145:17
Sofonías 3:5	Juan 5:30
2 Tesalonicenses 1:5-7	Apocalipsis 15:3-4

Dios es sabio

De la raíz *saber* o *ver*, pero la sabiduría sobrepasa el conocimiento al entender y actuar; tener una percepción aguda, discernimiento; poder juzgar con rectitud; tomar siempre las decisiones adecuadas

1 Crónicas 28:9	Daniel 2:20-22
Proverbios 2:6	Colosenses 2:2-3
Isaías 55:8-9	Salmo 147:5
Romanos 16:27	Isaías 28:29
Salmo 92:5	Romanos 11:33-34
Proverbios 3:19-20	Santiago 3:17

Dios es eterno

Sin principio ni fin; existe a lo largo del tiempo; perpetuo

Éxodo 3:14-15	Isaías 26:4
Nehemías 9:5	1 Timoteo 1:17
Salmo 93:2	Deuteronomio 33:27
Romanos 1:20	Salmo 90:1-2
Éxodo 15:18	Jeremías 31:3
Salmo 45:6	Apocalipsis 1:8, 18

Dios es el Creador

El que le dio existencia al universo, toda la materia y la vida

Génesis 1:1	Juan 1:3
Salmo 104	Hebreos 1:2
Jeremías 10:12	Salmo 100:3
Colosenses 1:16	Isaías 42:5
Salmo 95:3-7	Hechos 17:24-28
Salmo 148:1-6	Apocalipsis 10:6

Dios es bueno

Virtuoso, excelente; recto; es bueno en esencia y de forma absoluta y consumada

Salmo 25:8	Nahúm 1:7
Salmo 119:68	1 Timoteo 4:4
Jeremías 33:11	Salmo 86:5
Juan 10:11	Salmo 145:9
Salmo 34:8	Marcos 10:18
Salmo 136:1	2 Pedro 1:3-4

Tiempo devocional: Alabanza

Señor mi Dios, con todo el corazón te alabaré, y por siempre
glorificaré tu nombre.

Salmo 86:12

Lo siguiente te brinda una manera de dirigir tus pensamientos mientras
alabas a Dios. Este sencillo método de diario puede convertirse en un
registro de tus tiempos de oración.

Fecha: _____ Atributo: _____
Definición:
Pasaje bíblico:
Pensamientos / Oración:

Fecha: _____ Atributo: _____
Definición:
Pasaje bíblico:
Pensamientos / Oración:

Fecha: _____ Atributo: _____
Definición:
Pasaje bíblico:
Pensamientos / Oración:

Fecha: _____ Atributo: _____
Definición:
Pasaje bíblico:
Pensamientos / Oración:

Ayudas para la confesión

Así que comete pecado todo aquel que sabe hacer el bien y no lo hace.

Santiago 4:17

La siguiente lista recopilada por Evelyn Christenson puede usarse como medio para la confesión[1]. Te ayudará a comenzar a pensar en las esferas en que necesitas confesión. Cada «sí» a las preguntas representa un pecado que se debe confesar.

Dad gracias en todo, porque esta es la voluntad de Dios para con vosotros en Cristo Jesús.

1 Tesalonicenses 5:18, RV-60

¿Te preocupas sin motivo? ¿Has dejado de darle gracias a Dios por *todas* las cosas, las que parecen malas así como por las buenas? ¿Descuidas dar gracias antes de comer?

Y a Aquel que es poderoso para hacer todas las cosas mucho más abundantemente de lo que pedimos o entendemos, según el poder que actúa en nosotros.

Efesios 3:20, RV-60

¿No intentas hacer cosas por Dios porque no tienes el suficiente talento? ¿Acaso los sentimientos de inferioridad evitan que trates de servir a Dios? Cuando logras algo por Cristo, ¿fallas en darle toda la gloria?

Pero recibiréis poder, cuando haya venido sobre vosotros el Espíritu Santo, y me seréis testigos en Jerusalén, en toda Judea, en Samaria, y hasta lo último de la tierra.

Hechos 1:8, RV-60

¿Has fallado al ser testigo de Cristo con tu vida? ¿Te parece suficiente con vivir tu cristianismo y no testificarles con tu boca a los perdidos?

> Digo, pues, por la gracia que me es dada, a cada cual que está entre vosotros, que no tenga más alto concepto de sí que el que debe tener, sino que piense de sí con cordura, conforme a la medida de fe que Dios repartió a cada uno.
>
> Romanos 12:3, RV-60

¿Te sientes orgullosa de *tus* logros, de tus talentos, de tu familia? ¿Fallas al ver a los demás como superiores a ti, como más importantes que tú dentro del cuerpo de Cristo? ¿Insistes con tus derechos? ¿Piensas que eres un cristiano aceptable? ¿Te rebelas cuando Dios desea cambiarte?

> Quítense de vosotros toda amargura, enojo, ira, gritería y maledicencia, y toda malicia.
>
> Efesios 4:31, RV-60

¿Te quejas, buscas errores y discutes? ¿Tienes un espíritu crítico? ¿Le guardas rencor a cristianos de otro grupo porque no coinciden contigo en la manera de ver las cosas? ¿Hablas mal de las personas cuando no están presentes? ¿Estás enojada contigo misma, con otros o con Dios?

> ¿O ignoráis que vuestro cuerpo es templo del Espíritu Santo, el cual está en vosotros, el cual tenéis de Dios, y que no sois vuestros?
>
> 1 Corintios 6:19, RV-60

¿Eres descuidada con tu cuerpo? ¿Eres culpable de no cuidar el templo del Espíritu Santo con la comida y los ejercicios? ¿Deshonras tu cuerpo con actos sexuales pecaminosos?

Gratitud

Para ayudarte a orientar tus pensamientos a las personas y las circunstancias por las que estás agradecida, piensa en lo siguiente y luego dale gracias a Dios por:

Su presencia constante con tu esposo e hijos
Las veces en que te ha librado de tus temores
La bendición de ser parte del cuerpo de Cristo
Las maneras en que te ha conducido en tiempos difíciles
La capacidad de servir a tu familia
Cómo provee para todas tus necesidades
Su consuelo en los momentos de desánimo, fatiga y soledad

Intercesión día por día

A veces nos parece que tenemos tanto por lo cual orar que nos sentimos abrumadas. Quizá quieras concentrarte en un asunto distinto cada día. He aquí algunas sugerencias con su correspondiente pasaje bíblico.

Todos los días: Tu familia

Esposo:

Salmo 1:1-3	Salmo 32:7-8
Isaías 61:1-3	Efesios 1:17-18
Salmo 19:7-11	Salmo 92:12-15
Ezequiel 36:26-27	2 Tesalonicenses 1:11-12

Hijos (véanse las páginas 230-231)

Domingo: Iglesia

Por tu pastor, los ancianos, los maestros de la Escuela Dominical, los misioneros, los evangelistas, las escuelas teológicas

2 Corintios 7:1	Efesios 6:19
Colosenses 1:9-11	1 Tesalonicenses 5:16-22
Efesios 4:1-3	Filipenses 1:9-11
Colosenses 4:3-4	2 Timoteo 2:15

Lunes: Educación

Por el superintendente, el director, los profesores y resto del personal

Salmo 106:3	Proverbios 10:9
Hechos 26:18	1 Timoteo 6:20
Proverbios 6:16-19	Proverbios 14:34
Colosenses 2:8	Tito 2:7-8

Martes: Los que están en autoridad

Por el presidente, el vicepresidente, los miembros del gabinete, los senadores, los diputados, los líderes locales, los policías, los bomberos

Deuteronomio 18:9-11	Salmos 33:12
Proverbios 6:16-19	Filipenses 1:9-10
2 Crónicas 19:7	Proverbios 3:5-6
Proverbios 14:34	2 Timoteo 2:25

Miércoles: Incrédulos

Romanos 2:4	2 Corintios 4:3-4
1 Timoteo 2:4-6	1 Pedro 1:18-19
Romanos 10:1, 13-15	Colosenses 1:13
2 Timoteo 2:25-26	2 Pedro 3:9

Jueves: Cristianos perseguidos

Salmo 79:11	Filipenses 1:20
Colosenses 4:3	Hebreos 13:20-21
Salmo 80:17-19	Colosenses 1:11
2 Tesalonicenses 3:3, 5	1 Pedro 2:15

Viernes: Medios de comunicación

Por las personas que trabajan en los periódicos, la televisión, la radio, las revistas y las películas

2 Crónicas 7:13-14	Proverbios 15:28
Ezequiel 18:30-32	1 Tesalonicenses 2:4
Proverbios 1:7	Isaías 1:16-17
Colosenses 2:8	1 Juan 2:15-16

Sábado: Hermanos en la fe

Proverbios 9:10	Efesios 1:16-19
Filipenses 1:4-6	Colosenses 4;12
Juan 17:17	Efesios 3:14-20
Filipenses 1:9-11	Hebreos 10:24

Tiempo devocional: Intercesión

Esta es la confianza que tenemos al acercarnos a Dios: que si pedimos conforme a su voluntad, él nos oye. Y si sabemos que Dios oye todas nuestras oraciones, podemos estar seguros de que ya tenemos lo que le hemos pedido.

1 Juan 5:14-15

Usa estas páginas a fin de que te provean un diario para la intercesión que hagas. Al revisar las respuestas, tu corazón recibirá bendición y se fortalecerá para seguir orando.

Fecha: _____
Pasaje bíblico: _____
Petición de las Escrituras
(coloca el nombre en el pasaje): _____
Petición específica:

Fecha / Respuesta: _____

Fecha: _____
Pasaje bíblico: _____
Petición de las Escrituras
(coloca el nombre en el pasaje): _____
Petición específica:

Fecha / Respuesta: _____

Fecha: _____
Pasaje bíblico: _____
Petición de las Escrituras
(coloca el nombre en el pasaje): _____
Petición específica:

Fecha / Respuesta: _____

Fecha: _____
Pasaje bíblico: _____
Petición de las Escrituras
(coloca el nombre en el pasaje): _____
Petición específica:

Fecha / Respuesta: _____

Fecha: _____
Pasaje bíblico: _____
Petición de las Escrituras
(coloca el nombre en el pasaje): _____
Petición específica:

Fecha / Respuesta: _____

Fecha: _____
Pasaje bíblico: _____
Petición de las Escrituras
(coloca el nombre en el pasaje): _____
Petición específica:

Fecha / Respuesta: _____

Fecha: _____
Pasaje bíblico: _____
Petición de las Escrituras
(coloca el nombre en el pasaje): _____
Petición específica:

Fecha / Respuesta: _____

Intercesión:
La oración de forma bíblica
por nuestros hijos

A continuación hay oraciones que son versículos de la Biblia que puedes orar por tus hijos.

Que sea obediente

Concede a _____ un corazón bueno hacia ti, hasta tal punto que quiera obedecerte incluso en los menores detalles. (1 Crónicas 29:19, LBD)

Que ame la Palabra de Dios

Que _____ guarde las palabras [de Dios] como su especial tesoro. Que las escriba y atesore en lo profundo de su corazón. (Proverbios 7:2-3, LBD)

Que desee estar con los que aman al Señor

Que _____ disfrute el compañerismo de los que aman al Señor y tienen corazones puros. (2 Timoteo 2:22, LBD)

Que conozca la voz de Jesús y lo siga solo a Él

Que _____ siga [a Jesús], porque conoce su voz. No seguirá al extraño, sino huirá de él, porque no conoce la voz de los extraños. (Juan 10:4-5, LBLA)

Que esté presto a confesar el pecado

El alto y excelso que habita la eternidad, el Santo, dice así: Yo moro en aquel elevado y santo sitio donde habitan los de espíritu contrito y humilde; y doy refrigerio a los humildes y renuevo la valentía del corazón arrepentido. (Isaías 57:15, LBD) Que _____ tenga tal corazón.

Que vea con claridad la diferencia entre el bien y el mal

Quiero que _____ siempre perciba con claridad la diferencia entre lo bueno y lo malo; y que la limpieza sea por dentro, a fin de que nadie le pueda reprochar nada cuando regrese el Señor. (Filipenses 1:10, LBD)

Que esté a salvo de los buscapleitos

Oculta a tu amado _____ en el refugio de tu presencia, a salvo bajo tu mano, a salvo de todos los conspiradores. (Salmo 31:20, LBD)

Que conozca mejor a Dios

Pido que el Dios de nuestro Señor Jesucristo, el Padre de gloria, le dé a _____ espíritu de sabiduría y de revelación en el conocimiento de Él. (Efesios 1:17, RV-60)

Que sea salvo

Y da a _____ un corazón, y pon un espíritu nuevo dentro de él; y quita el corazón de piedra de en medio de su carne, y dale un corazón de carne. (Ezequiel 11:19, RV-95)

Que se enorgullezca de ser cristiano

Que tus palabras sean las que sustenten a _____; sean alimento para su alma hambrienta. Traigan gozo a su doliente corazón y le deleiten. ¡Qué orgulloso está de llevar tu nombre, oh Señor! (Jeremías 15:16, LBD)

Notas

Capítulo 2: Cómo orar con confianza

1. Warren Myers con Ruth Myers, *How to Be Effective in Prayer,* NavPress, Colorado Springs, CO, 1983, p. xvii.

2. Ney Bailey, carta, noviembre-diciembre de 1986.

Capítulo 3: La oración que cambia vidas

1. Myers, *How to Be Effective in Prayer,* p. 8

2. E. Stanley Jones, *How to Pray,* Intercessors for America, Reston, VA, pp. 11-12

Capítulo 4: Alabanza: La oración de acuerdo a los atributos de Dios

1. Jack R. Taylor, *The Hallelujah Factor,* Broadman, Nashville, TN, 1983, p. 25.

2. Dick Eastman, *La hora que cambia el mundo,* Editorial Vida, Miami, FL, 1983, p. 23 (del original en inglés).

3. C.H. Spurgeon, *The Practice of Praise,* Whitaker House, New Kensington, PA, 1995, p. 13.

4. «El profundo amor de Cristo», *Himnario de Alabanza Evangélica,* #328 (primera y segunda estrofas), letra de Samuel Trevor Francis, traducción de Ellen de Eck. © Copyright 1966, Editorial Mundo Hispano, El Paso, TX.

5. Spurgeon, *The Practice of Praise,* pp. 16-17.

6. Eastman, *La hora que cambia el mundo,* p. 24 (del original en inglés).

7. *Ibíd.*

8. A.W. Tozer, *Conocimiento del Dios Santo,* Editorial Vida, Miami, FL, 1961, p. 20 (del original en inglés).

Capítulo 5: Confesión: Quita los escombros

1. Eastman, *La hora que cambia el mundo*, p. 43 (del original en inglés).

2. Jennifer Kennedy Dean, *He Restores My Soul*, Broadman & Holman, Nashville, TN, 1999, p. 33.

3. Joy Dawson, *Amistad íntima con Dios*, Editorial Betania, Miami, FL, 1992, p. 57 (del original en inglés).

4. Alister E. McGrath, editor, *The NIV Thematic Reference Bible*, Zondervan, Grand Rapids, MI, 1999), 1058.

5. David Daniels, «Encountering God in the Lord's Prayer», *Discipleship Journal*, mayo-junio de 2002, p. 64.

6. Bill Gothard, *Ten Reasons for Alumni to Be Encouraged*, Institute in Basic Life Principles, Oak Brook, IL, 1992, p. 9.

7. «¿Qué me puede dar perdón?», *Himnario de Alabanza Evangélica*, #160, letra y música de Robert Lowry, traducción de H.G. Cragin. © Copyright 1966, Editorial Mundo Hispano, El Paso, TX

8. Ron Mehl, *Dios también trabaja de noche*, Casa Bautista de Publicaciones, El Paso, TX, 1997, pp. 98-100 (del original en inglés).

Capítulo 6: Acción de gracias: La expresión de un corazón agradecido

1. O. Hallesby, *Prayer*, Augsburg Fortress, Minneapolis, MN, 1994.

2. Merlin Carothers, *El poder de la alabanza*, Editorial Vida, Miami, FL, 1975.

3. Mehl, *Dios también trabaja de noche*, pp. 27, 29-30 (del original en inglés).

Capítulo 7: Intercesión: Ponte en la brecha

1. Alice Smith, *Beyond the Veil*, SpiriTruth Publishing, Houston, TX, 1996, p. 28.

2. Jennifer Kennedy Dean, «Alternate-Route Prayer», *Pray*, julio-agosto de 2002, p. 16.

3. Eastman, *La hora que cambia el mundo*, p. 76 (del original en inglés).

4. Andrew Murray, *Prayer: A 31-Day Plan to Enrich Your Prayer Life*, Barbour, Uhrichsville, Ohio, 1995.

5. Sra. Charles E. Cowman, *Manantiales en el Desierto*, Editorial Mundo Hispano, El Paso, TX, 1973.

Capítulo 8: La oración de acuerdo a las promesas de Dios

1. Martin R. De Haan II, *How Does God Keep His Promises?*, Radio Bible Class, Grand Rapids, MI, 1989, pp. 4-5.

2. *Ibíd.*, p. 18.

3. *Ibíd.*, p. 11.

4. *Ibíd.*. p. 7.

5. E.M. Bounds, *Las posibilidades de la oración*, Editorial Clie, Terrassa, Barcelona, España, 1980, capítulo 3, página 1.

6. Ron Hutchcraft, «The Store Is Yours», *A Word with You*, #4017, www.gospelcom.net.

7. «Todas las promesas del Señor», *Himnario de Alabanza Evangélica*, #331, letra y música de R. Kelso Carter, 1886, traducción Vicente Mendoza. © Copyright 1978, Editorial Mundo Hispano, El Paso, TX.

Capítulo 9: La oración de común acuerdo

1. Ray Stedman, *Talking with the Father*, Discovery House, Grand Rapids, MI, 1997, p. 101.

2. Rosalind Rinker, *Prayer: Conversing with God*, Zondervan, Grand Rapids, MI, 1959, p. 46.

3. Rinker, *Prayer*, p. 23.

4. Evelyn Christenson, *Lo que Dios hace cuando las mujeres oran*, Caribe-Betania Editores, Nashville, TN, 1980, p. 40 (del original en inglés).

Capítulo 10: Prepárate para la lucha: Oraciones de guerra

1. Tim Sheets, *Armed and Battle Ready*, publicado por el autor, 1985, pp. 15-16.

2. *Ibíd.*

3. Charles Stanley, «The Real War», serie de dos casetes.

Capítulo 11: Oración por nuestras escuelas

1. Sitio Web del National Center for Education; http://nces.ed.gov//pubs2002/digest2001/ch1.

2. «Focus on the Family Features Moms in Touch», boletín *Heart to Heart*, primavera de 2000, p. 4.

3. *www.syatp.com*

4. Historia de las noticias de CBN, 23 de septiembre de 2002.

5. *www.bibleinschools.org*

6. *www.gtbe.org*, boletín *Gateways to Better Education.*

7. Editores de *Religions Today, crosswalk.com*, 29 de marzo de 2001.

8. Correspondencia personal, 2002.

9. Oswald Chambers, *En pos de lo supremo*, Centros de Literatura Cristiana, Bogotá, Colombia, 2003.

Capítulo 12: ¡Sigue en oración a cualquier precio!

1. Gary Bergel, «A Time for Prevailing Prayer», boletín de *Intercessors for America,* febrero de 2001, p. 2.

2. Charles H. Spurgeon, *Lecturas Matutinas*, Editorial Clie, Terrassa, Barcelona, España, 15 de enero

3. Ron Hutchcraft, «Child Snatching», *A Word With You* #4123, www.gospelcom.net.

4. Wesley Duewel, *La oración poderosa que prevalece*, Editorial Unilit, Miami, FL, 1995, p. 152 (del original en inglés).

5. Sra. Charles E. Cowman, *Manantiales en el Desierto*, Editorial Mundo Hispano, El Paso, TX, 1973, pp. 314-15 (del original en inglés).

6. Christenson, *Lo que Dios hace cuando las mujeres oran*, p. 32.

Apéndice: Listas y hojas de oración

1. Evelyn Christenson, *A Study Guide for Evangelism Praying*, St. Paul, MI, 1992.

Lecturas recomendadas

Oración: General

Discovering How to Pray, Hope MacDonald, Zondervan, 1976
Pray, How to Be Effective in Prayer, Warren Myers, NavPress, 1983
Prayer, Conversing with God, Rosalind Rinker, Zondervan, 1959
La hora que cambia el mundo, Dick Eastman, Editorial Vida, 1983
The Power of Prayer in a Believer's Life, Charles H. Spurgeon, Emerald, 1993
Lo que Dios hace cuando las mujeres oran, Evelyn Christenson, Caribe-Betania Editores, 1980
La Escuela de la Oración, Andrew Murray, Editorial Clie, 1953
Talking with My Father, Ray Stedman, Discovery House, 1997
The Power of Personal Prayer, Jonathan Graf, NavPress, 2002

Oración: Guerra

Battling the Prince of Darkness, Evelyn Christenson, Victor, 1990
La oración invade lo imposible, Jack Hayford, Editorial Vida, 1985

Alabanza

To Know Him by Name, Kay Arthur, Multnomah, 1995
Behold Your God, Myrna Alexander, Zondervan, 1978
The Attributes of God, Arthur W. Pink, Baker, 1975
Conocimiento del Dios Santo, A.W. Tozer, Editorial Vida, 1961

Confesión

Rompiendo las cadenas, Neil T. Anderson, Editorial Unilit, 2001
El Camino del Calvario, Roy Hession, Editorial Unilit, 1980
Brokenness: The Heart God Revives, Nancy Leigh DeMoss, Moody, 2002

Matrimonio

La Familia Cristiana, Larry Christenson, Caribe-Betania Editores, 1970

Dos corazones orando como uno, Dennis y Bárbara Rainey, Editorial Unilit, 2003

Para mamás

When Mothers Pray, Cheri Fuller, Multnomah, 1997

Every Day I Pray for My Teenager, Eastman Curtis, Creation House, 1996

Praying Scriptures for Your Children, Jodie Berndt, Zondervan, 2001

A Mother's Heart, Jean Fleming, NavPress, 1982

Inspiración / Devocional

Still Life, Mary Jenson, Multnomah, 1997

He Restores My Soul, Jennifer Kennedy Dean, Broadman & Holman, 1999

Fuego Vivo, Viento Fresco, Jim Cymbala, Editorial Vida, 1997

Dios también trabaja de noche, Ron Mehl, Casa Bautista de Publicaciones, 1994

Manantiales en el Desierto, Sra. Charles E. Cowman, Editorial Mundo Hispano, 1973

Una nota de Fern Nichols acerca de Madres Unidas para Orar Internacional

Te animo a que te sumes a otras mamás que están orando por sus hijos a través de Madres Unidas para Orar Internacional. Hago mías las palabras de Patrick Henry cuando alentó a sus compañeros virginianos a unirse a la revolución de 1775: «¡Nuestros hermanos [y hermanas] ya están en el campo de batalla! ¿Por qué vamos a quedarnos aquí sin hacer nada?». ¿No te gustaría experimentar en lo personal lo que sucede cuando las mamás se unen para orar?

Para saber más acerca de Madres Unidas para Orar Internacional en tu zona, para obtener información sobre cómo iniciar un grupo o solo para conocer más acerca de los cuatro pasos de la oración que hacen que la hora de Madres Unidas para Orar sea tan poderosa, ponte en contacto con:

Moms In Touch International
P.O. Box 1120
Poway, California 92074-1120
(858) 486-4065
Dirección de correo electrónico: info@MomsInTouch.org
Sitio Web: *www.momsintouch.org/spanish/spanishaboutus.htm*

El propósito de Madres Unidas para Orar Internacional es animar a las madres y a otras personas a que se reúnan a orar con regularidad por sus hijos y las escuelas. La visión es que cada escuela del mundo esté cubierta con oración. Dios está levantando a las mamás de todo el mundo para orar debido a que todo niño necesita una mamá que ora.